Rédaction : Suzanne Agnely et Jean Barraud,
assistés de J. Bonhomme, N. Chassériau et L. Aubert-Audigier.
Iconographie : A.-M. Moyse, assistée de N. Orlando.
Mise en pages : E. Riffe, d'après une maquette de H. Serres-Cousiné.
Correction : L. Petithory, B. Dauphin, P. Aristide.
Cartes : D. Horvath.

© *Librairie Larousse. Dépôt légal 1978-3ᵉ — Nᵒ de série Éditeur 12207.*
Imprimé en France par Jean Didier, Strasbourg (Printed in France).
Librairie Larousse (Canada) limitée, propriétaire pour le Canada
des droits d'auteur et des marques de commerce Larousse.
Distributeur exclusif pour le Canada : les Éditions françaises Inc.
licencié quant aux droits d'auteur et usager inscrit des marques pour le Canada.

la Guinée-Bissau

la Guinée

la Sierra Leone

l'Afrique occidentale

le Libéria   les îles du Cap-Vert

la Côte-d'Ivoire

la Haute-Volta

le Ghana

le Bénin

le Togo   le Nigeria

Librairie Larousse

17, rue du Montparnasse, 75006 Paris.

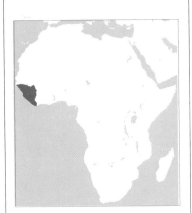

la Guinée,
la Guinée-Bissau,
la Sierra Leone,
le Libéria,
les îles
du Cap-Vert

pages 1 à 20
rédigé par Jacques Vignes

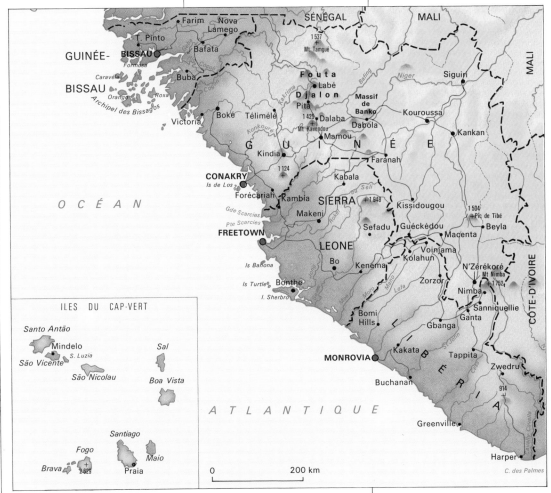

Guinée, Guinée-Bissau, Sierra Leone, Libéria, îles du Cap-Vert

la Côte-d'Ivoire

pages 1 à 10

rédigé par Jeanne Rolland

la Haute-Volta

pages 1 à 10

rédigé par Jeanne Rolland

Côte-d'Ivoire, Haute-Volta

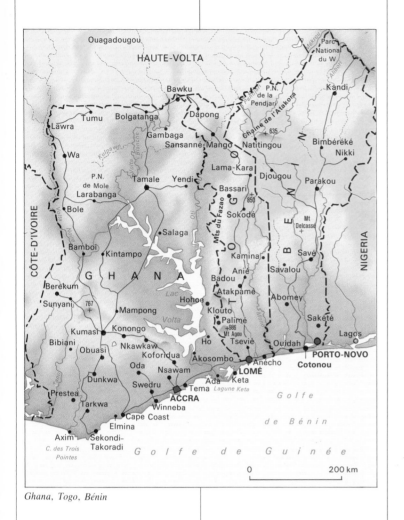

Ghana, Togo, Bénin

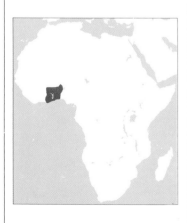

le Ghana

pages 1 à 3

rédigé par Maurice Piraux

le Togo

pages 1 à 8

rédigé par Maurice Piraux

le Bénin

pages 1 à 9

rédigé par Maurice Piraux

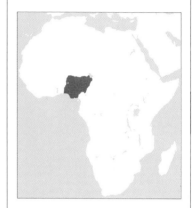

le Nigeria

pages 1 à 20

rédigé par Jean-Pierre Diehl

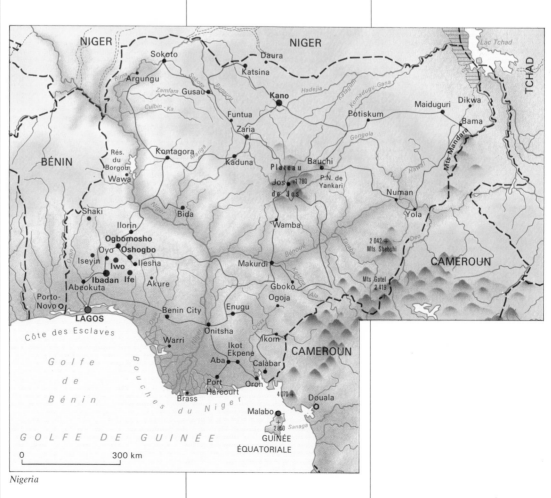

Nigeria

la Guinée, la Guinée-Bissau, la Sierra Leone, le Libéria, les îles du Cap-Vert

L'Afrique subsaharienne requiert une approche originale. Sur ces vastes espaces aux populations clairsemées, le passé n'a guère laissé de traces, et la vie moderne ne s'est pas encore vraiment enracinée. On ne vient chercher ici ni les ruines de civilisations englouties, ni l'effervescence des mondes nouveaux.

Cette situation est particulièrement claire à l'intérieur du vaste triangle qui englobe, du nord-ouest au sud-est, Guinée-Bissau, Guinée, Sierra Leone et Libéria (au total, 465 000 km²),

en laissant pour l'instant de côté les îles du Cap-Vert, dont les caractéristiques sont différentes.

Alors, où se situe l'attrait de cette Afrique? Eh bien, justement, dans ces grandes étendues demeurées à l'état sauvage, telles qu'elles devaient être dans la nuit des temps.

En dehors de très rares agglomérations urbaines et de quelques plantations perdues dans un environnement vierge, le phénomène est toujours là, répétitif jusqu'à l'obsession:

▲

Des plages de sable fin, nichées au creux de baies frangées de verdure, sont l'un des principaux attraits de la Sierra Leone.
Phot. A. Hutchison Lby

l'homme africain n'a, dans l'ensemble, jamais réussi à dominer complètement l'univers dans lequel il vit. Il s'en défend plus qu'il ne l'agresse. Le village se tapit au cœur de la brousse ou dans une clairière, en général artificielle, isolée dans la forêt. Détail significatif: dans l'aire habitée, le sol est de terre battue, soigneusement grattée; on y chercherait en vain la moindre trace de jardin.

Au-delà de cette frontière, la nature reprend ses droits, à peine contestée par les zones

Histoire
Quelques repères
Guinée

XVe s. (?) : les régions de savanes et la plaine côtière sont envahies par des groupes mandingues (Soussous, Malinkés).
Fin du XVe s. : établissement de comptoirs portugais dans les « Rivières du Sud ».
XVIe s.-début du XIXe s. : traite des esclaves par les négriers européens.
XVIIe s. : les Peuls occupent le Fouta Djalon.
1837-1842 : des commerçants bordelais installent sur la côte guinéenne des comptoirs de traite de l'or, de l'ivoire et des bois précieux.
1880-1881 : signature de traités de protectorat entre la France et les souverains locaux.
1888-1898 : la résistance de l'Empire malinké de Samory Touré empêche la France d'occuper la totalité du pays ; en 1897, l'État peul du Fouta Djalon est annexé et démembré ; en 1898, Samory Touré est fait prisonnier et déporté au Gabon, où il meurt en 1900. Entre-temps, la Guinée a été déclarée colonie française en 1893 et intégrée à l'Afrique-Occidentale française en 1895.
1902-1912 : plusieurs soulèvements.
28 septembre 1958 : seul pays d'Afrique noire à avoir répondu « non » au référendum constitutionnel organisé par le général de Gaulle, la Guinée accède à l'indépendance le 2 octobre suivant. Sékou Touré, premier président de la République.
1958-1974 : la Guinée rompt successivement ses relations avec la France, la République fédérale d'Allemagne, le Sénégal et la Côte-d'Ivoire, accusés d'avoir participé à des complots contre le gouvernement guinéen.
1974 : Sékou Touré réélu, une fois de plus, pour sept ans, président de la République.
1975 : réconciliation avec l'Allemagne fédérale, puis avec la France.
Mars 1978 : réconciliation avec le Sénégal et la Côte-d'Ivoire.
Novembre 1978 : visite officielle du président de la République française.

Guinée-Bissau

Milieu du XVe s. : établissement des Portugais à Bissau, escale sur la route des Indes ; traite des esclaves, de l'ivoire et de l'or.
Dernier quart du XIXe s. : pénétration portugaise à l'intérieur du pays.
1879 : la Guinée-Bissau, colonie portugaise.
1886 : accord avec la France sur le tracé des frontières.
1956 : création du Parti africain de l'indépendance de la Guinée et du Cap-Vert (P. A. I. G. C.) sous l'impulsion d'Amilcar Cabral.
1959 : une grève des dockers, organisée par le P. A. I. G. C. à Bissau, est sévèrement réprimée ; la troupe tire sur les manifestants, faisant plusieurs morts.
1963 : début de la lutte armée pour l'indépendance, organisée par le P. A. I. G. C.
20 janvier 1973 : Amilcar Cabral est assassiné à Conakry à l'instigation des Portugais.
24 septembre 1973 : le P. A. I. G. C., qui contrôle plus des deux tiers du territoire, proclame unilatéralement l'indépendance.

▶

Kérouané (Guinée) : la présentation des armes de Samory Touré, qui conquit un empire et tint tête aux Français à la fin du XIXe siècle, est l'objet d'une véritable cérémonie.
Phot. Renaudeau-Top

cultivées : mil et sorgho en savane ; rizières inondées des bas-fonds humides de la forêt et des marigots des zones côtières ; un peu d'arachide, du manioc, quelques bananiers.

Vu d'avion, c'est frappant. En survolant la vieille Europe, on constate que, en dehors des hauts massifs montagneux, l'homme a marqué de sa présence la moindre parcelle de sol. Tout y est compartimenté, clôturé, cadastré, bâti, sillonné par un réseau de voies de communication aux mailles serrées. Au-dessus de l'Afrique, et particulièrement de l'Afrique sub-saharienne, l'œil se perd dans une immense étendue verte, tantôt rase et jalonnée, de loin en loin, par la silhouette efflanquée d'un palmier à huile, tantôt couverte d'un manteau de forêts si dense que le sol en devient invisible.

De nuit, l'impression est encore plus saisissante : pas une lumière, pas la moindre lueur, sauf en mai, au-dessus de la savane, lorsque les paysans mettent le feu à la brousse pour défricher les espaces cultivés, ce qui ravage parfois inutilement des centaines d'hectares.

Des centres urbains artificiels

Il y a les villes, direz-vous. Sans doute, mais, pour simplifier, nous dirons plutôt « les capitales ». Le reste n'est, le plus souvent, que grosses bourgades, conglomérats de cabanes de torchis et de cases traditionnelles, groupées autour d'un « centre » constitué par le marché, quelques bâtiments hérités de l'ère coloniale et les boutiques des commerçants locaux.

Alors, parlons des capitales. La plus septentrionale, Bissau, dont la population doit se situer actuellement entre 40 000 et 50 000 habitants, est un exemple typique de ville-comptoir, sans grand caractère. Elle s'organise de part et d'autre d'une avenue trop large pour une circulation presque inexistante, sans ombre, qui monte du port à la cathédrale, vaste édifice de pierre au style incertain. Les seuls points intéressants sont le fort construit par les Portugais

au XVIe siècle et la vieille ville lusitanienne, avec ses ruelles bordées de maisons à deux ou trois étages, qui s'accroche aux flancs de ce fort.

Allongée sur sa presqu'île rocheuse, enfouie sous les manguiers, les flamboyants et les cocotiers, Conakry (500 000 hab.), avec ses côtes ourlées de criques, pourrait ne pas manquer de charme. Malheureusement, depuis 1958, année de l'indépendance de la Guinée, les travaux d'urbanisme, ou même de simple entretien, ont été effectués avec tant de parcimonie que, l'humidité tropicale aidant, les dégradations l'emportent largement sur les rénovations. Comme, au surplus, le commerce privé a été aboli dans le pays, l'ancien centre commercial est maintenant quasiment désert. Notons, à ce propos, qu'il ne faut pas se laisser induire en erreur par le nombre relativement important des habitants : Conakry est une ville sans limites, qui s'étend, en fait, tout au long des 15 km de route qui séparent le centre de l'aéroport, à travers une série de banlieues — on les appelle ici des « quartiers » — où la vie se déroule sur un mode mi-citadin, mi-rural. Chaque quartier a ses coutumes, son organisation, ses règles, ses rivalités aussi. Une sorte de résurgence du clan à travers la vie de la cité. Inséré dans son quartier comme on le serait dans son village, qu'irait-on faire dans les avenues vides de ce qui était autrefois la ville européenne et qu'occupent surtout, aujourd'hui, ministères et administrations ?

Au sud de Conakry, voici Freetown, en Sierra Leone (180 000 hab.), construite sur un éperon rocheux qui abrite une des plus belles rades de l'Afrique occidentale. Mis à part cette situation privilégiée et le goût, hérité des colons anglais, pour les *cottages* enfouis sous les arbres et les jardins bien entretenus, cette petite ville ne présente aucun intérêt particulier.

Quant à Monrovia, capitale du Libéria (200 000 hab.), c'est un centre d'affaires né dans la confusion et grandi dans l'improvisation. Cela tient à la fois de la ville africaine, du décor de western et de la cité moderne, avec les immeubles des banques, des sociétés qui exploitent les deux grandes richesses du pays, le fer et le caoutchouc, et des compagnies d'assurance maritime qui tirent profit des pavillons de complaisance, grâce auxquels le Libéria possède, nominalement tout au moins, la plus grande flotte commerciale du monde (80 millions de tonneaux de jauge brute).

Au commencement était la savane

Laissons donc les villes. Elles ne peuvent constituer qu'un point de départ pour la découverte. Mais, auparavant, ne manquons pas de souligner un phénomène important, dont l'existence de ces villes-ports est une conséquence et qui éclaire la situation actuelle de l'Afrique occidentale et ses rapports avec son passé.

▶

Conakry, capitale de la Guinée, est construite en partie sur une presqu'île au rivage découpé, et, de la corniche, on découvre une succession de beaux paysages marins.
Phot. Renaudeau-Top

10 octobre 1974 : la Guinée-Bissau devient officiellement une république indépendante, reconnue par l'O. N. U.

Sierra Leone

1462 : installation d'une base portugaise, assez rapidement abandonnée (il en reste un fort).
XVIe-XVIIe s. : des trafiquants européens, principalement anglais, se livrent à la traite des esclaves et à la piraterie.
1787-1792 : une société philanthropique britannique organise l'installation en Sierra Leone des esclaves noirs réfugiés au Royaume-Uni ; fondation de la ville de Freetown.
1807 : Freetown et ses environs deviennent colonie de la Couronne britannique.
1896 : l'intérieur du pays reçoit le statut de protectorat.
27 avril 1961 : indépendance du pays dans le cadre du Commonwealth ; sir Milton Margai, chef du Sierra Leone People's Party et membre de l'ethnie mandé, devient Premier ministre.
1964 : mort de sir Milton Margai ; son frère, sir Albert Margai, lui succède.
1967 : le parti d'opposition (All People's Congress Party), dirigé par Siaka Stevens, membre de l'ethnie temné, remporte les élections, mais est empêché d'exercer le pouvoir par un coup d'État militaire ; Stevens se réfugie à Conakry.
1968 : Siaka Stevens rappelé à Freetown pour y exercer les fonctions de Premier ministre.
1968-1971 : diverses tentatives de coups d'État militaires entraînent, en 1971, l'intervention de l'armée guinéenne, appelée à l'aide par le Premier ministre.
1974 : sortie du Commonwealth et proclamation de la république ; Siaka Stevens est élu président (son mandat sera renouvelé en 1978).

Libéria

1364 : des marins dieppois fondent quatre établissements sur la côte de ce qui deviendra la république du Libéria.
1461 : des navigateurs portugais prennent le relais des Dieppois.
XVIe-XVIIIe s. : active traite des esclaves.
1822 : fondation de Monrovia par d'anciens esclaves noirs rapatriés des États-Unis.
1847 : proclamation de la république.
1926 : la société américaine Firestone obtient une concession de 400 000 ha pour la culture de l'hévéa.
1943 : après un siècle de vie politique agitée, la République est présidée par William Tubman, qui sera constamment réélu jusqu'à sa mort, en 1971 ; son vice-président, William Tolbert, lui succède.
1976 : William Tolbert est confirmé pour huit ans dans son mandat.

îles du Cap-Vert

XVe s. : découverte de l'archipel par les Portugais ; il aurait alors été inhabité.
XVIe s. : installation à Mindelo d'une base servant de relais sur la route de l'Amérique du

Il ne faut chercher les hauts lieux des civilisations africaines ni dans les zones côtières ni dans les régions forestières. Les unes et les autres étaient considérées, à juste titre, comme malsaines pour les hommes et les animaux : malaria, mouche tsé-tsé, maladies parasitaires, autant de raisons de se tenir éloigné des plaines humides ou de la forêt dense, cette dernière isolant au surplus les hommes en multipliant les obstacles aux communications et en interdisant donc la formation de grands ensembles.

Tournant délibérément le dos à la mer, c'est dans la grande savane intérieure ou sur des hauts plateaux comme le Fouta Djalon guinéen (altitude moyenne, 1 000 m) que les empires (Mali, Ghana, Borjou, etc.), dont les historiens arabes ont décrit l'opulence, se sont installés, développés et souvent entre-déchirés au cours des siècles qui précédèrent l'arrivée des Européens. Car la savane s'ouvre au nord sur le Sahara, et les caravanes ne cessaient de faire la liaison entre les rives du Niger et celles de la Méditerranée. Trafic d'or, de cuivre, de sel, d'esclaves : les produits négociables ne manquaient pas. D'autant que la savane était alors le grenier à céréales de toute l'Afrique occidentale, ainsi que son grand pourvoyeur de viande avec les troupeaux de bovins dont les tribus peules assuraient les transhumances.

L'installation de comptoirs européens sur les côtes et le développement rapide des cultures d'exportation (café, cacao, bananes, caoutchouc) inversèrent l'ordre des facteurs, la savane s'appauvrissant au profit du littoral et de ses environs forestiers. Tout, désormais, convergeait vers le port, qui était en même temps le centre administratif et militaire.

▲

Guinée : masque de danse représentant Koni, *l'oiseau calao qui incarne l'esprit du Bien.*
Phot. Renaudeau-Top

La revanche des anciens esclaves

Le cas du Libéria et de la Sierra Leone est cependant particulier. Dans ces deux pays se produisirent des événements qui allaient marquer profondément leur avenir.

Au Libéria, ce fut, à partir de 1822, à l'initiative de la Société américaine de colonisation, fondée en 1816, au lendemain de l'abolition de la traite, l'arrivée des premiers *American Negroes* qui venaient d'être affranchis. Il en vint ainsi environ 7 000 jusqu'en 1861, début de la guerre de Sécession. En 1847, cette poignée d'hommes et de femmes avaient proclamé la république du Libéria, mais leur autorité ne s'étendait guère que sur Monrovia et ses alentours. Les autochtones *(natives)*, divisés en 28 ethnies, étaient hostiles à ces intrus. Il fallut attendre le milieu du XXe siècle pour que, par un jeu subtil d'alliances avec les chefs traditionnels locaux, les *American Negroes* parviennent à créer un semblant d'unité nationale.

Aujourd'hui, ces *American Negroes* sont environ 25 000, presque tous fixés à Monrovia. Ils forment une sorte d'aristocratie, comprenant des propriétaires fonciers, des hommes d'affaires, des membres des professions libérales et des hommes politiques. Les *natives*, pour leur part, sont environ 1 600 000 et vivent soit dans les villages traditionnels, soit, comme ouvriers, dans les mines et les plantations.

▲

La sculpture sur bois est une spécialité guinéenne de très ancienne tradition. (Statuette tiyambo, musée du palais des Congrès, Conakry.)
Phot. Renaudeau-Top

▶

Guinée : comme les cornes, la crinière, les coquillages et le vêtement, les peintures du visage ne sont pas seulement un ornement ; elles ont une signification précise, caractérisant le thème de la danse.
Phot. Renaudeau-Top

Guinée, Guinée-Bissau, Sierra Leone, Libéria, îles du Cap-Vert

5

→

Sud ; le peuplement est assuré partie par des Européens, partie par des esclaves noirs en provenance de Guinée-Bissau ; important métissage.

XIXe s. : après la conférence de Berlin (1884-1885), consacrant le partage de l'Afrique entre les puissances européennes, les Portugais renforcent leur implantation dans leurs territoires d'outre-mer (Guinée-Bissau, Angola, Mozambique) et commencent à utiliser de nombreux métis capverdiens pour assurer l'administration de ces territoires ; d'où une certaine tension, qui va se développer peu à peu, entre les populations autochtones et les originaires du Cap-Vert.

1956 : création par Amilcar Cabral du Parti africain de l'indépendance de la Guinée et du Cap-Vert (P. A. I. G. C.), décidé à aplanir les difficultés existant entre les populations des deux régions.

1963 : alors que la lutte armée se développe en Guinée-Bissau, les îles du Cap-Vert sont proclamées «province portugaise d'outre-mer».

5 juillet 1975 : près de neuf mois après que la Guinée-Bissau eut recouvré son indépendance, les îles du Cap-Vert deviennent une république reconnue par l'O. N. U. ; l'union entre les deux pays n'est pas réalisée, mais ils conservent en commun un parti politique unique, le P. A. I. G. C.

1977 : le congrès du P. A. I. G. C. réaffirme la nécessité de réaliser progressivement l'unité entre les deux États.

Quant au petit et au moyen commerce, ils sont en grande partie entre les mains des minorités étrangères, Libanais et Ghanéens notamment.

Processus analogue, mais un peu plus complexe, en Sierra Leone. Freetown fut fondée dès 1787 par d'anciens esclaves noirs ayant recouvré la liberté en se réfugiant en Grande-Bretagne. Au fil des ans, d'autres esclaves libérés les rejoignirent. On ne sait pourquoi, Freetown semble les avoir attirés davantage que Monrovia. Il est vrai que le Royaume-Uni ne ratait aucune occasion d'assurer le peuplement de la ville, qui devint colonie de la Couronne dès 1808. Les *American Negroes* locaux, appelés ici «Créoles», bénéficièrent, de ce fait, de la nationalité britannique. Quant au reste du pays, devenu protectorat, son statut et son mode de vie ne s'en trouvèrent pas modifiés pour autant. D'où une distorsion qui ne reçut un début de solution qu'en 1960, au cours de la conférence qui allait permettre au pays d'accéder à l'indépendance (27 avril 1961).

Dans les marécages
de la mangrove

L'ensemble territorial formé par la Guinée, la Guinée-Bissau, la Sierra Leone et le Libéria constitue, sur les plans géographique, climatique et humain, à quelques détails près, un véritable microcosme de l'Afrique occidentale. Et, à l'intérieur de cet ensemble, la Guinée résume assez fidèlement le tout. En examinant

celle-ci de près, nous allons continuer à pénétrer à l'intérieur du système et en découvrir peu à peu les différents aspects.

La région côtière, d'abord. C'est le royaume de la mangrove, jungle de palétuviers où la terre et l'eau sont si intimement mêlées que l'on a du mal à déterminer leurs limites. D'autant que celles-ci varient avec les marées de l'Océan et le débit des rivières, considérablement grossies pendant la saison des pluies (mai-novembre). Entre îlots et presqu'îles, les marigots serpentent à l'infini, s'unissant en bout de course pour former de véritables petits bras de mer. Pour les premiers explorateurs portugais, c'étaient «les Rivières du Sud», précieux ancrages et bases de traite.

La mangrove, d'ailleurs, vient de loin. Elle commence dans le sud du Sénégal, en Casamance, couvre toutes les côtes de la Guinée-Bissau, de la Guinée et de la Sierra Leone, et se prolonge jusqu'au nord-ouest de Monrovia, au Libéria. Passé Monrovia, commence un autre décor, un de ceux que n'offre pas la Guinée, celui de la côte sableuse et lagunaire, sur fond de cocotiers et de palmiers à huile.

Univers inquiétant et malsain, où la pirogue est le seul moyen de communication possible et où les maladies tropicales trouvent un milieu privilégié, la mangrove n'est pourtant pas déserte. Des riziculteurs chevronnés (Balantes, Bagas) la cultivent et en tirent d'opulentes récoltes qui, ajoutées aux poissons de la pêche traditionnelle, assurent l'équilibre alimentaire indispensable pour résister aux rigueurs du climat.

Non que, dans la zone côtière, la température soit jamais excessive : elle se maintient aux alentours de 28 °C d'un bout de l'année à l'autre, mais sans différence sensible entre le jour et la nuit, et avec une hygrométrie extrêmement élevée. Pendant la saison des pluies,

les précipitations sont très abondantes : il tombe près de 4 m d'eau par an à Conakry et dans les régions environnantes, et les pays voisins sont, sur ce plan, tout aussi bien servis. Transformée en vaste marécage, la mangrove devient alors impraticable. Il faut s'éloigner du rivage et se réfugier dans le domaine des palmiers à huile jusqu'à ce que le gros des eaux se soit écoulé et que le travail puisse reprendre dans les rizières.

◄

Les masques, qui protègent l'anonymat tout en impressionnant les spectateurs, jouent un rôle important dans les rites des sociétés secrètes, encore très actives en Sierra Leone.
Phot. A. Hutchison Lby

Le mystère des Peuls

En Guinée, la plaine côtière est dominée par le massif du Fouta Djalon, série de hautes falaises entaillées par les vallées des nombreuses rivières qui viennent alimenter la mangrove et dévalent parfois en quelques kilomètres le millier de mètres de dénivellation qui sépare le plateau du niveau de la mer.

Il suffit de grimper sur ce plateau pour comprendre à quel point les Africains de l'ère précoloniale avaient raison de tenir en si grand mépris les zones côtières et de se contenter d'y refouler les peuplades vaincues. En saison sèche, que l'on aille à Pita, à Dalaba ou à Labé, on y trouve un air frais, sec, vivifiant, débarrassé des miasmes et de l'humidité de la côte. Seuls moments pénibles : les périodes où souffle le harmattan, le vent chaud et sec du désert.

▲
Plate, sillonnée de nombreux cours d'eau, la basse Guinée, entre la côte et les premiers contreforts du Fouta Djalon, est une région verdoyante et fertile.
Phot. Renaudeau-Top

C'est le pays des orangers et des pomelos, les arbres qui donnent les pamplemousses. À Labé, on cultive des fraises toute l'année, dans des pots en terre. Mais c'est surtout une région d'élevage. La plus grande partie des 2 millions de têtes de bovins que compte le troupeau guinéen se trouve ici, dans le Fouta Djalon.

Et ce n'est pas seulement à cause des conditions climatiques : le Fouta Djalon est un pays peul, et les Peuls sont traditionnellement éleveurs. Leur origine est un mystère. D'où vient ce peuple, divisé en multiples groupes essaimés à travers toute la grande savane centrale, tantôt se mêlant aux populations autochtones, tantôt leur imposant une domination féodale, comme dans le nord du Nigeria, tantôt se constituant en véritable État, centralisé et hiérarchisé, comme au Fouta Djalon ?

Le Peul est, presque toujours, aisément identifiable. D'abord par ses caractéristiques morphologiques. Longiligne, il a le nez fin, les lèvres minces, les cheveux non crépés, et il ne présente aucun des caractères dits « négroïdes » de ses voisins. Certes, au fil des siècles, de nombreux métissages ont atténué les différences, mais, dans la plupart des cas, sans les effacer complètement.

Autre élément d'identification : le dialecte — le poular — que parlent les Peuls d'un peu partout. Enfin, troisième caractéristique essentielle : une activité presque exclusivement pastorale. Le Peul est avant tout un éleveur de bovins. Pour lui, le troupeau est un signe de richesse, de puissance. Rien à voir, donc, avec les autres peuples africains, cultivateurs sédentaires, parlant des langues souvent cousines, mais n'ayant jamais aucun rapport avec le poular.

Pourtant, il existe, en Afrique orientale, quelques peuples dont la parenté avec les Peuls semble évidente. Il s'agit de l'ensemble des Nilotiques, en particulier des Masais du Kenya et des Tutsis du Ruanda et du Burundi. D'où la thèse suivant laquelle on se trouverait en face d'un grand rameau hamitique, dont il faudrait chercher l'origine dans l'Égypte antique et qui aurait, au cours de longues migrations, donné naissance aux Berbères d'Afrique du Nord, à certaines populations sahariennes comme les Touaregs, aux Peuls d'Afrique occidentale et

◀
Guinée : prodige de patience, nécessitant des heures de travail, la coiffure tient une grande place dans la coquetterie des jeunes femmes peules.
Phot. Renaudeau-Top

▲

Guinée : il faut aux Peuls des bras solides et un peu d'adresse pour construire leurs cases circulaires et les couvrir de toits coniques en paille.
Phot. Bouby-A.A.A. Photo

▶

Guinée : un village de la région de Kérouané et ses énormes fromagers, dispensateurs d'une ombre fort appréciée.
Phot. Renaudeau-Top

tion peule du Fouta Djalon » régnaient à tour de rôle, quatre années chacun, avec le titre d'*almami*.

Négociant avec l'*almami* en place en 1881, les émissaires français n'eurent guère de mal à lui faire accepter un protectorat qui avait pour conséquence de lui éviter d'avoir à transmettre son pouvoir. Cela n'empêcha pas l'État peul d'être investi par les troupes coloniales en 1896, et d'être annexé et démembré en 1897.

Aujourd'hui encore, bien que le Fouta Djalon soit intégré à l'État guinéen, le particularisme peul demeure, et des formes dégradées de féodalité, toujours fondées sur la propriété des troupeaux, restent vivaces.

Un handicap, cependant : la pauvreté relative des sols, partiellement stérilisés par la formation d'une croûte dure comme du béton, appelée « bowal ». Celui-ci apparaît lorsque, au début de la saison sèche, après que les pluies d'hivernage ont détrempé et lessivé la terre, souffle le harmattan. Ce vent succède à la mousson atlantique et est un peu l'équivalent du sirocco de l'Afrique du Nord, sauf que le sirocco se manifeste par des rafales brutales, généralement de courte durée, alors que le harmattan, moins violent, peut souffler pendant des jours et des jours, desséchant tout sur son passage.

Ne quittons pas les Peuls sans signaler qu'il en existe également une communauté relativement importante dans le sud-est de la Guinée-Bissau, c'est-à-dire dans le prolongement du Fouta Djalon. Ils sont là environ 130 000, soit le quart de la population du pays.

▲
Introduite en Guinée au début du siècle, la banane est devenue un produit d'exportation apprécié sur les marchés européens, et elle joue un rôle important dans l'économie du pays.
Phot. Potentier-Atlas-Photo

aux Nilotiques d'Afrique orientale. Mais cette opinion est fortement controversée, sans, pour autant, qu'aucune autre explication cohérente ait pu lui être substituée.

Au Fouta Djalon, en tout cas, les Peuls arrivèrent, avec leurs troupeaux, au XVIIᵉ siècle. Trouvant le pays à leur goût, ils réduisirent en esclavage les populations d'agriculteurs qui se trouvaient là et s'installèrent. Ils prospérèrent, puisque, sur le plateau, la densité de la population dépasse 50 habitants au kilomètre carré, soit plus du double de la moyenne nationale (23 hab. au km²). Une densité qui

entraîne une animation très supérieure à celle de toutes les régions avoisinantes.

Quand les Peuls arrivèrent au Fouta Djalon, ils étaient déjà islamisés, au moins en ce qui concerne les grandes familles de chefs. Depuis, l'islam s'est répandu dans l'ensemble de la société, ce qui n'a pas empêché les rivalités inhérentes à tous les systèmes féodaux de se manifester. Quand, en 1880, la France commença de s'intéresser à la Guinée, ces rivalités avaient donné naissance à un curieux compromis : les chefs des deux plus puissantes familles de ce qui était devenu la « Confédéra-

▲
En haute Guinée, château d'eau de l'Afrique occidentale, fleuves et rivières sont entrecoupés d'impressionnantes cascades. (Chute de Kinkon, près de Pita.)
Phot. Renaudeau-Top

▶
Guinée : ce piton rocheux dont le sommet arrondi domine les frondaisons d'une palmeraie, près de Dubréka, a reçu le nom évocateur d'« Éléphant qui veille ».
Phot. Renaudeau-Top

Guinée, Guinée-Bissau, Sierra Leone, Libéria, îles du Cap-Vert

La Dorsale guinéenne

Le Fouta Djalon, avec ses pics qui s'élèvent jusqu'à 1 500 m, n'est pas le seul relief du pays. Passé le seuil de Mamou, au sud du plateau, il est relayé par la Dorsale guinéenne, qui empiète sur le nord-est de la Sierra Leone et le nord du

Seule, en fin de compte, la Guinée offre, du fait de son relief, une réelle diversité de paysages et de climats. On a d'ailleurs dit de ce pays qu'il était le «château d'eau» de l'Afrique occidentale. Il est vrai que les trois grands fleuves qui arrosent celle-ci prennent leur source soit dans la Dorsale (Sénégal et Niger), soit dans le Fouta Djalon (Gambie).

grands vallonnements herbeux, semés de maigres bouquets d'arbres, puis son développement forestier se précise. Elle devient savane arbustive avant de se dissoudre peu à peu dans la forêt tropicale, suffisamment claire pour que la circulation y reste aisée, jusqu'au moment où elle est étouffée par les arbres dans l'ombre desquels elle se perd.

En Guinée-Bissau, elle évolue entre le type arbustif et la forêt tropicale. En Sierra Leone, le prolongement de la savane guinéenne occupe approximativement la moitié nord du pays. Vers l'ouest, elle vient mourir dans la mangrove; vers le sud, elle cède la place à la forêt.

Peut-on parler encore de savane à propos du Libéria? Ce serait abusif. La forêt couvre les neuf dixièmes du territoire de ce pays, et elle en occuperait la totalité si un petit quadrilatère n'avait été défriché autour de Monrovia, en particulier pour permettre la mise en place des grandes plantations d'hévéas, les arbres dont le suc laiteux fournit le caoutchouc. (Pour donner une idée de l'importance de ces plantations, signalons que la firme américaine Firestone a obtenu, dès 1926, une concession d'un million d'acres [plus de 4 000 km²] et qu'elle y exploite actuellement plus de 10 millions d'hévéas; la plantation de Harbel, à l'est de Monrovia, est la plus vaste du monde.)

Dans cette région de l'Afrique occidentale, la savane est donc surtout la savane guinéenne, dont les ondulations sans fin entourent les vallées du Niger et de ses affluents. Ce devrait être le domaine d'élection d'une faune abondante et variée. Il n'en est rien. «Sily», l'éléphant, a beau être le symbole de la république de Guinée, rien ne permet d'affirmer qu'il existe encore des hardes de gros pachydermes dans le pays, pas plus, d'ailleurs, que dans les pays avoisinants. Il est censé rester quelques couples de lions dans la région de Siguiri, au nord-est, non loin de la frontière malienne, mais leur présence effective est sujette à caution, car on ne voit pas davantage de gazelles ni d'antilopes, proies habituelles des grands carnassiers. Par contre, petits singes, lémuriens et serpents, depuis le redoutable serpent-minute jusqu'à l'inoffensif python, prolifèrent.

Ce n'est cependant pas la présence envahissante des hommes qui a chassé les animaux : dans la savane guinéenne, on ne compte guère plus de 5 habitants au kilomètre carré. La

Libéria pour se terminer, exactement au confluent des frontières ivoirienne, libérienne et guinéenne, par la grande borne du mont Nimba (1 752 m) — la «Montagne de fer». Celle-ci recèlerait un milliard de tonnes d'un minerai de fer exceptionnellement riche (70 p. 100 de teneur). Ce minerai est déjà en exploitation sur la face libérienne, la plus proche de la mer et donc des ports d'exportation.

Nous aurons l'occasion, en parlant des zones forestières, de revenir sur cet ensemble, qui est constitué, plus que par une chaîne de montagne à proprement parler, par un plateau de 500 m d'altitude moyenne, d'où jaillissent des escarpements dépassant généralement 1 000 m, mais il faut insister sur le caractère insolite de ces paysages montagneux, entourés de toutes parts par des plaines dont l'altitude varie entre 0 et 200 m. A cet égard, la Guinée-Bissau, dont le point le plus élevé ne dépasse pas une centaine de mètres, est plus proche de la moyenne régionale. La Sierra Leone, en dehors de la frange de la Dorsale guinéenne située sur son territoire, déroule ses savanes et ses forêts sur une vaste plaine culminant à 200 m, et celle-ci se prolonge sur la plus grande partie du Libéria.

Les mutations de la savane

Abrupt sur sa face océane, le Fouta Djalon descend par paliers vers la grande savane centrale. Venue du Sahel — marche du Sahara où elle n'est encore que steppe —, la savane se déploie vers le sud jusqu'aux pieds des montagnes, jusqu'à la lisière de la forêt dense, en se transformant peu à peu. Elle est d'abord

Guinée, Guinée-Bissau, Sierra Leone, Libéria, îles du Cap-Vert

▲

Guinée-Bissau : en plaçant leur réserve de poissons en équilibre sur leur tête, les pêcheuses ont les deux mains libres pour manier le filet.
Phot. Renaudeau-Top

population est un peu plus dense dans la savane sierra-léonaise (de 10 à 15 hab. au km²), mais on est encore loin des 50 habitants au kilomètre carré du Fouta Djalon.

Le climat est pourtant sain : la savane, protégée de l'influence atlantique par le relief, ne reçoit que 700 mm d'eau par an. En revanche, revers de la médaille, il y fait très chaud. En fin de saison sèche (avril-mai), la température peut dépasser 40 ⁰C.

L'important groupe ethnique des Mandingues, qui peuple l'essentiel de la savane centrale, a poussé ici l'un de ses rameaux : les Malinkés et quelques petits groupes, cousins germains de la branche principale, comme les Soussous. Tous pratiquent, à l'instar des Peuls du Fouta Djalon, la religion islamique. Les Malinkés sont plus attirés par le commerce et la vie citadine que par l'agriculture et l'élevage ; d'où la faible mise en valeur de ces vastes étendues souvent désertes, devant lesquelles on se prend à rêver de ranches grouillant de troupeaux, tandis que les vallées des fleuves se prêteraient aisément à la culture irriguée.

Le Malinké, lorsqu'il n'est pas installé dans un centre urbain comme Kankan (80 000 hab.)

et ne va pas grossir la population de Conakry, a tendance à vivre au rythme traditionnel des travaux saisonniers : on défriche la brousse par le feu à la veille de la saison des pluies ; on sème le riz de montagne, qui ne demande pas de grands soins, mais dont les rendements sont faibles ; on récolte avant la saison sèche. Entre-temps, on s'occupe de quelques têtes de bétail et on fait un peu d'arachide.

Cette vie lente serait monotone si elle n'était animée par des activités sociales assez intenses. On se réunit pour les palabres, les danses, les chants, la musique... et le foot-ball. Le festival de Conakry, qui a lieu tous les deux ans au mois de novembre, réunit dans la capitale les meilleurs groupes folkloriques du pays. On rivalise d'ardeur, et souvent avec beaucoup de bonheur, pour obtenir l'insigne honneur d'y participer. Les Malinkés y tiennent toujours une place de choix, surtout dans les domaines du chant et de la musique, car, pour la danse, il faut compter avec les peuples de la forêt.

On trouve également des Malinkés en Guinée-Bissau, où ils constituent — avec les Peuls et les Balantes — une des trois ethnies dominantes. Installés sur les plateaux du Centre, ils

se consacrent essentiellement à la culture du mil et de l'arachide. Ils sont, eux aussi, islamisés, alors que les Mandés de la Sierra Leone, également d'origine mandingue, ont connu une évolution différente : coupés de leurs bases culturelles (ils habitent le sud du pays, à cheval entre la savane boisée et la forêt), ils sont restés fidèles à l'animisme, religion des esprits des ancêtres et de la nature. Longtemps les plus nombreux, les Mandés ont été peu à peu supplantés par les Temnés du Nord, dont l'origine se perd dans les multiples brassages humains qui ont marqué l'histoire de l'Afrique occidentale.

Au Libéria, les Mandés-Tan et les Mandés-Fou seraient également originaires de la famille mandingue, mais, absorbés par la forêt, ils ont éclaté en multiples petites ethnies, et cette filiation relève de la recherche scientifique.

Marginaux et forestiers

Dans le nord et le nord-est de la Guinée, aux confins du domaine des Malinkés, vivent des peuples qu'on pourrait appeler «les oubliés»

▲

Guinée-Bissau : les palmeraies de la plaine côtière abritent des bandes de singes familiers, qui affectionnent particulièrement les bords de route.
Phot. Renaudeau-Top

▲

Guinée : lors des cérémonies de l'initiation, les jeunes Bassaris arborent un énorme cimier bordé de plumes, le daka, et de nombreux bracelets d'aluminium.
Phot. Potentier-Atlas-Photo

tant ils sont rarement mentionnés dans les déclarations et les documents officiels. Ces peuples, en particulier les Bassaris et les Koniagis, les deux groupes les plus importants, sont les descendants d'ethnies très anciennes, qui occupaient sans doute la savane avant d'être refoulées dans les régions les plus arides par la poussée mandingue.

Farouchement indépendants, attachés à leurs coutumes ancestrales, imperméables à l'islamisation, mais cultivateurs habiles et avisés, ils n'ont jamais été bien assimilés par le pouvoir central. Ils sont restés des marginaux, des réfractaires sur lesquels on préfère jeter le voile. Leurs cases sont faites comme de grands paniers de vannerie que l'on démonte chaque année, après les récoltes, pour aller les installer un peu plus loin, afin de respecter les jachères qui permettent à une terre fragile de se reposer, parfois pendant plusieurs années, avant d'être de nouveau ensemencée. Une forme originale de nomadisme agricole.

La forêt abrite d'autres « oubliés », la mosaïque des peuples vivant au cœur d'un monde végétal qui tout à la fois les protège et les isole. Combien sont-ils, chacun avec ses coutumes, sa langue et le soin jaloux consacré à préserver l'identité du clan et de la tribu ? On en compte une dizaine en Guinée dite « forestière », le long de la Dorsale guinéenne ; une dizaine également en Sierra Leone, et 28 au Libéria.

Trois traits communs : d'abord, le refus de toute religion venue de l'extérieur, qu'il s'agisse de l'islam ou du christianisme ; ensuite, l'évolution que le bouleversement des données économiques ne manque pas de provoquer ; enfin, le caractère travailleur et industrieux de ces hommes, longtemps considérés comme des « sauvages ». La survie dans la forêt n'est pas facile. Elle n'est possible qu'au prix d'efforts incessants et d'une adaptation constante à des conditions défavorables.

Mais, au total, quelle revanche économique, sinon politique, sur les seigneurs d'une savane où traînent toujours quelques bribes de féodalisme et une certaine dose de mépris pour les petits hommes du fond des bois, leurs croyances, leurs superstitions, leur magie !

La forêt est profonde, mystérieuse, inquiétante. Esprits bienveillants et malveillants la hantent. Chants, musiques et danses ont généralement pour but de s'assurer la protection des premiers et d'éloigner les seconds. Le mime sert d'enchantement et d'exorcisme. On représente la lutte entre bons et méchants pour, après des péripéties variées, affirmer le triomphe final des protecteurs. De quoi faire sourire le lettré islamisé, même si, derrière la façade de la religion officielle, subsistent des traces profondes de l'animisme primitif.

À une certaine nonchalance mandingue, les forestiers opposent un dynamisme qui, la conjoncture aidant, les pousse au premier rang d'une production agricole fondamentale, trop souvent négligée. Pour compenser ce déséquilibre, on s'est tourné vers le domaine minier, partout en pleine expansion, sauf en Guinée-Bissau, où l'on n'a encore rien découvert. Il est vrai qu'on n'a pas beaucoup cherché. L'inventaire géologique du pays reste à faire.

Dix îles et cinq îlots

Et maintenant, prenons la mer et allons visiter ces îles du Cap-Vert que nous avons jusqu'ici tenues à l'écart. Et pour cause : rien de comparable, dans ce petit monde volcanique, avec tout ce que nous avons pu découvrir jusqu'ici.

L'archipel est formé de 10 îles et de 5 îlots. La plus grande des îles, Santiago, où est située Praia, la capitale (40 000 hab.), mesure environ 50 km de long sur 35 dans sa plus grande

largeur. Au total, 4 000 km² de terres émergées, peuplées de 300 000 personnes, soit 75 au kilomètre carré, densité très élevée si on la compare à celles des pays continentaux voisins. Santiago est située à quelque 500 km de la côte africaine. Dans son plus grand axe (du sud de Santiago au nord de Santo Antão), l'archipel s'étend sur 300 km.

Les trois îles orientales, Sal, Boa Vista et Maio, sont relativement plates (de 100 à 200 m

◄

Large rue pavée, parsemée d'arbres poussant entre les pierres et bordée de petites maisons basses d'allure très européenne : à Boa Vista, l'urbanisme traditionnel des îles du Cap-Vert.
Phot. Renaudeau-Top

d'altitude moyenne). Des pitons rocheux s'y élèvent jusqu'à 400 m. Leur sol est totalement improductif sur le plan agricole. Seule activité : l'exploitation et le raffinage du sel marin (production annuelle totale, 35 000 t environ). Sal possède, en outre, un important aéroport international, utilisé régulièrement comme escale par les appareils d'un certain nombre de lignes aériennes reliant l'Amérique du Sud à l'Europe et au Moyen-Orient.

Les îles centrales et occidentales ont un relief beaucoup plus marqué et une végétation un peu plus abondante, surtout dans les vallées. À Fogo, la plus typiquement volcanique, où la dernière éruption date de 1952, le cratère dominant l'île ronde s'élève jusqu'à 2 629 m. Ailleurs, les sommets des anciens volcans se situent entre 1 000 et 2 000 m.

D'une certaine manière, en naviguant parmi ces îles, on a l'impression de se trouver trans-

porté dans le monde méditerranéen. On pense, en particulier, à l'archipel des Éoliennes, au nord du détroit de Messine, qui pourrait être une reproduction miniaturisée de celui du Cap-Vert. Mais quelle que puisse être l'aridité des Éoliennes, elle paraît bénigne à côté de celle des îles du Cap-Vert. L'absence totale de sources et de cours d'eau permanents est encore aggravée par une sécheresse presque endémique. L'archipel se trouve en effet situé dans la zone

▲
Le petit port de Ponta do Sol, dans l'île de Santo Antão, est le point le plus septentrional de l'archipel du Cap-Vert, éparpillé dans l'Atlantique au large du Sénégal.
Phot. Renaudeau-Top

de lutte d'influence entre l'alizé du nord-est, la mousson atlantique et la masse d'air continental, chaud et sec, venue du Sahel. Le plus souvent, c'est cette dernière qui l'emporte, réduisant considérablement les possibilités agricoles. En 1979, l'archipel entrait dans sa dixième année consécutive de sécheresse.

La pêche, dans des eaux exceptionnellement poissonneuses, pourrait pallier en partie ce grave handicap, mais elle est encore trop exclusivement artisanale pour avoir un rendement suffisant.

Côtes rocheuses, festonnées de criques sauvages ; contrastes saisissants entre paysages méditerranéens et décors tropicaux (par exemple, au détour d'une vallée encaissée, la brusque apparition d'une bananeraie ou d'un bouquet de palmiers à huile) ; climat doux, tempéré par le courant maritime froid venu des Canaries ; masses imposantes des reliefs ; relative proximité de l'Europe : les îles du Cap-Vert pourraient, n'était le manque d'eau, devenir un centre touristique important. On n'en est pas là. Une petite unité de dessalage de l'eau de mer a été installée à Mindelo, le port commercial, dans l'île São Vicente. Il faudrait multiplier de telles entreprises, malheureusement fort gourmandes en énergie.

Mindelo a joué longtemps un rôle important dans l'économie de l'archipel en servant de centre d'avitaillement aux navires en route pour l'Amérique ou l'Afrique du Sud. Ils venaient refaire là leur plein de charbon, puis de fuel. Avec l'augmentation du rayon d'action des bateaux modernes, cette fonction de relais s'est peu à peu réduite. Seuls, désormais, les petits cargos font encore escale à Mindelo.

L'archipel, en tout cas, ne dispose pas et ne peut pas disposer, sauf découverte minière imprévue, des ressources nécessaires à son développement. Les fonds envoyés par les 500 000 Cap-Verdiens exilés n'y suffisent pas. Seule une aide internationale importante permettrait à ce groupe d'îles, constitué en république indépendante depuis juillet 1975, de sortir de l'impasse dans laquelle il est actuellement engagé ■   Jacques VIGNES

◄
Toute la population des îles du Cap-Vert est catholique, et chaque ville, chaque village a son église. (Ribeira Brava, dans l'île de São Nicolau.)
Phot. Renaudeau-Top

▲ Un relief escarpé, d'origine volcanique, et une sécheresse endémique qui prend des proportions drama-
tiques depuis une dizaine d'années rendent les îles du
Cap-Vert à peu près stériles. (São Nicolau.)
Phot. Renaudeau-Top

▶ Guinée : dans le Fouta Djalon, les coiffures traditionnelles atteignent un tel niveau d'élaboration que l'ex-
pression « art capillaire » prend ici tout son sens.
Phot. Renaudeau-Top

la Côte-d'Ivoire

Côte des Graines, de l'Ivoire, de l'Or, des Esclaves... Au cours des siècles, les rivages du golfe de Guinée furent dotés de noms imagés, inspirés aux premiers Européens qui y abordèrent par les denrées rares, les produits précieux que fournissait l'arrière-pays. Ces appellations, si elles figurent toujours sur les cartes, ne sont plus guère employées, sauf pour la Côte-d'Ivoire qui a conservé la sienne. Pourtant, le commerce des défenses d'éléphant n'y tient maintenant pas plus de place que celui des graines au Libéria ou celui de l'or au Ghana... et à peine plus que la traite des esclaves qui attirait jadis les négriers sur le littoral africain. Le temps des grands comptoirs du passé, d'où les richesses tropicales et exotiques s'embarquaient vers les métropoles européennes, est bien révolu. Aujourd'hui, la Côte-d'Ivoire est un pays en pleine mutation, résolument tourné vers l'avenir, où le modernisme le plus avancé et les traditions séculaires se côtoient sans heurt... mais non sans pittoresque.

Frangé de lagunes le long de l'Océan, le pays se divise en deux régions, caractérisées par leur végétation : la forêt et la savane. La première couvre le tiers du territoire et s'étend sur tout le Sud, de la région de Man à celle de Bondoukou. Dense, touffue, c'est un univers grouillant de vie, mais les animaux qui l'habitent savent admirablement s'y dissimuler et ne sont pas toujours faciles à observer. Des routes et des pistes relient les villages entre eux, et de nombreux cours d'eau, parfois navigables, parfois réfractaires à toute domestication, coulent du nord au sud. Les villageois les franchissent sur des ponts de lianes, chefs-d'œuvre oscillants, tendus entre les arbres d'une rive à l'autre, dont l'apparente fragilité est trompeuse. Faits de lianes très souples, qui peuvent mesurer jusqu'à 100 m de long et sont considérées comme sacrées, ils sont parfaitement adaptés aux besoins de la vie en brousse. Une vieille croyance veut que ces ponts soient jetés au-dessus des rivières par des génies. Aussi les jeunes gens, pour ne pas faire mentir la légende, procèdent-ils généralement de nuit aux réparations indispensables. Un peu partout, la forêt vierge perd du terrain. Près du littoral, notamment autour d'Abidjan, elle fait place aux cultures de bananiers, de caféiers et d'hévéas.

Le centre et le nord de la Côte-d'Ivoire sont le domaine de la savane, parsemée de quelques forêts aux alentours des rivières. Pendant la saison des pluies (de juillet à novembre), la savane est couverte d'une végétation luxuriante, et les herbes sont si hautes qu'elles dissimulent presque complètement animaux domestiques et

▲
Entre Sassandra et la frontière du Libéria, la Côte-d'Ivoire offre, sur l'Atlantique, un rivage rocheux, festonné de criques où des plages se nichent dans un cadre de verdure.
Phot. A. Lepage

1

bêtes sauvages ; les arbres (plus petits que ceux de la forêt) portent des feuilles bien vertes, et, autour des agglomérations, acacias et manguiers sont en fleurs. Mais dès que les pluies cessent, le soleil jaunit les herbes, les feux de brousse s'allument, et la savane se pare d'un camaïeu de tons brûlés.

Un pays riche en nuances

Avec plus de soixante ethnies aux coutumes et aux parlers différents, la Côte-d'Ivoire offre une image d'ensemble extrêmement complexe, riche en nuances. D'un coup d'aile, l'avion fait passer du climat tropical au climat soudanien, de la civilisation de l'igname à celle du mil. Par leurs origines diverses, les Ivoiriens font bénéficier leur pays de l'un des patrimoines culturels les plus variés de l'Afrique noire.

Dans le Nord, on se familiarise avec le mode de vie des Sénoufos, basé sur le *poro*, un système éducatif composé de trois ou quatre phases d'initiation de sept années chacune. Cette longue formation, qui concerne tous les actes de la vie, donne aux jeunes gens la conscience d'appartenir à un groupe original, réfractaire aux influences extérieures, et suscite un rituel très varié.

Chez les peuples de la forêt, on découvre des masques étranges, inquiétants, qui semblent exprimer l'angoisse de l'homme face à la nature. Ces masques jouent un rôle important dans la vie quotidienne, leur aspect effrayant se combinant à la science magique de ceux qui les portent pour mettre en déroute tous les mauvais esprits qui rôdent autour des hommes. En général, ils sont complétés par un costume de plumes ou de fibres végétales. Dans l'Ouest, chez les Dans, ils représentent des esprits bienveillants et sont d'une grande pureté.

Toutes les formes de l'art traditionnel sont encore vivantes en Côte-d'Ivoire, qu'il s'agisse de la danse, des récits épiques contés par les griots, de la poésie, de la sculpture ou de la fabrication de bijoux d'or. Cette dernière est surtout pratiquée par les Akans (Est et Centre) : la valeur symbolique qu'ils accordent au métal jaune a fait d'eux les meilleurs orfèvres du pays. Le sens artistique des Ivoiriens se manifeste partout, dans la rue, sur les marchés des grandes villes, au centre artisanal de Grand Bassam. On le rencontre également dans la vie quotidienne, sur les maisons des Sénoufos, aux portes sculptées dans le bois des fromagers, sur les pirogues peintes de couleurs vives des pêcheurs Krous (originaires du Libéria), ou, plus simplement, sur les élégantes Ivoiriennes, parées de *boubous* peints à la main.

La patinoire d'Abidjan

Le premier contact avec la terre ivoirienne a lieu à Abidjan. Au début du siècle, ce n'était qu'un village, peuplé par l'ethnie Ébrié (du nom de la lagune au bord de laquelle il était bâti). Aujourd'hui, c'est la ville la plus moderne de l'Afrique occidentale. Cependant les restes de la grande forêt sont tout près, et des marchés typiques se tiennent au pied des buildings. Succédant à Grand Bassam, puis à Bingerville, Abidjan est capitale depuis 1934. L'ouverture du canal de Vridi, en 1950, en a fait l'un des plus grands ports de la côte ouest.

◄

Abidjan : vues de la tour du somptueux hôtel Ivoire, la baie de Cocody et la presqu'île du Plateau, cœur de la capitale.
Phot. Jaffre-Durou

Le passager qui débarque à l'aéroport international de Port-Bouët, situé sur le cordon littoral, saisit d'emblée le caractère de cette ville que la lagune enserre et pénètre de toutes parts. C'est une succession de contrastes. Sur la partie continentale se dresse la presqu'île du Plateau, entre les baies du Banco et de Cocody. Le Plateau, centre administratif et commercial de la capitale, symbolise le fameux « miracle ivoirien ». Ici, l'architecture est futuriste, et la hardiesse des gratte-ciel de verre et de béton, en forme de tour ou de pyramide, fait la fierté des Abidjanais.

Sous les manguiers peuplés de milliers de chauves-souris que les enfants chassent à la fronde, face aux immeubles flambant neufs, le marché du Plateau, où les vendeurs, pour la plupart sénégalais, offrent toutes sortes de souvenirs dans un bric-à-brac indescriptible, est là pour rappeler le pittoresque africain. Mais ce marché est loin d'égaler en couleurs, en bruits et en odeurs celui de Treichville.

Treichville est le quartier populaire de la capitale, celui où cohabitent des représentants de toutes les ethnies ivoiriennes et des pays voisins, attirés par la grande ville, ses emplois et ses mirages. Cette diversité de la population se retrouve sur le marché, dans la variété des denrées et des vêtements.

Si Treichville mérite d'être vu dans la journée, il faut, pour le bien connaître, y revenir le soir. C'est en effet à ce moment-là que le quartier commence réellement à vivre. Les boîtes de nuit qui se succèdent le long des rues déversent des flots de musique occidentale et africaine, et le mieux, pour se faire une idée précise de Treichville *by night*, est de les visiter les unes après les autres. On peut aussi franchir les ponts Houphouët-Boigny ou Charles-de-Gaulle et poursuivre la tournée dans Adjamé, autre zone populaire située au nord du Plateau.

Cocody, quartier résidentiel d'Abidjan, est tout le contraire de Treichville. Ici, c'est le calme, la verdure, les villas cossues, la cité universitaire et le fameux hôtel Ivoire, un monde à part, fréquenté par les hommes d'affaires. Ce palace, l'un des plus modernes d'Afrique, est même équipé d'une patinoire à glace, la seule de tout le continent !

Il y a quelques années, Abidjan s'arrêtait à Cocody. Au-delà, c'était la brousse, puis la forêt. Maintenant, sur un terrain de 4 000 ha, une nouvelle ville de luxe est en train de naître, la Riviera. Pour le moment, à part quelques villas, un hôtel et un terrain de golf, c'est un immense chantier, mais, dans quelque temps, la Riviera ressemblera à la banlieue résidentielle d'une ville californienne.

Des anciens comptoirs
à la cité de pionniers

Tout au long de la côte ivoirienne s'étirent de magnifiques plages de sable fin. Au bord des lagunes, les cases rectangulaires des villages de

►

Seuls, quelques initiés, qui exécutent leur travail en une nuit, dans le plus grand secret, savent accrocher aux arbres les ondoyants ponts de lianes sur lesquels les Dans franchissent les torrents.
Phot. Dumas-Fotogram

la Côte-d'Ivoire

3

pêcheurs s'abritent à l'ombre des cocotiers. À l'est d'Abidjan, non loin de la frontière ghanéenne, Assinie est devenue un important centre touristique, le plus connu de la Côte-d'Ivoire. Dans un paysage paradisiaque ont été aménagés des clubs de vacances. Si accueillants qu'ils soient, ils ne peuvent pas avoir le charme désuet des anciens comptoirs, Grand Bassam, Grand Lahou et Grand Béréby.

Tous les week-ends, les Abidjanais se ruent vers Grand Bassam, où ils oublient la vie trépidante de la métropole dans des paillotes faites de feuilles de palmier. La plage est belle, mais, attention ! la barre qui défend la côte est dangereuse : même les bons nageurs doivent s'en méfier, car elle est formée par des courants très puissants.

Dans cette ex-capitale coloniale se déroule chaque année, au début de novembre, la fête de l'Abissa, en l'honneur des défunts. Selon la légende, un ancêtre aurait assisté à une danse macabre exécutée par les morts de la région et institué cette fête pour leur rendre hommage. Pendant une semaine, les Bassamois dansent au rythme du tam-tam. Le septième jour, ils se recueillent au cimetière, où les tombes sont presque enfouies dans le sable. La fête se termine par un bal costumé.

Plus éloignée de la capitale, Grand Lahou est moins fréquentée. Une promenade en pirogue sur la lagune où vient se déverser le fleuve Bandama permet de découvrir son paysage aquatique. Comme à Grand Bassam, quelques maisons à véranda rappellent l'époque où la ville était un port de commerce où les navires venaient charger l'acajou, l'huile de palme, les palmistes, le caoutchouc et l'ivoire.

Avant que la chasse n'ait été interdite pour permettre à la faune de se reconstituer, Grand Lahou était un rendez-vous de chasseurs. Maintenant, dans le parc national d'Asagni (30 000 ha), le long du canal du même nom, on se contente d'observer, en pirogue ou du haut d'un mirador, les éléphants, les buffles, les antilopes et autres animaux de la forêt. Non loin de là, le village de pêcheurs de Tiegba, avec ses huttes de *papo* (feuilles de palmiers) construites sur pilotis, mérite un détour.

Grand Béréby est réputée pour sa plage, où une digue naturelle permet de merveilleuses baignades dans un immense plan d'eau calme. C'est d'ailleurs le cas de toutes les plages qui s'échelonnent de l'embouchure du Sassandra à celle du Cavally et qui sont ainsi protégées par des falaises ou des avancées rocheuses.

Les aventureux pousseront jusqu'à Fresco, entre Grand Lahou et Sassandra. Cet ancien comptoir, isolé au bout d'une mauvaise piste et à peu près inaccessible si l'on ne dispose pas d'une voiture personnelle, est situé entre l'Océan et la lagune Ngni. En arrivant à l'embouchure de la Bolo, il faut abandonner son véhicule et gagner en pirogue le vieux village oublié, précédé d'une presqu'île peuplée d'éléphants et d'hippopotames. À marée basse, on peut escalader la falaise et déchiffrer le fascinant labyrinthe que forment les multiples enlacements de la rivière, de la lagune et de la terre.

▲
Les toits de chaume traditionnels sont suffisamment
étanches pour protéger les cases des véritables déluges
qui s'abattent sur le pays lors de la saison des pluies.
Phot. Hervy-Explorer

Jusqu'en 1968, San Pedro, à l'est de Grand Béréby, était un petit village de pêcheurs. C'est maintenant un port en eau profonde, autour duquel s'organise une ville où les possibilités de travail attirent les populations de l'intérieur. Cité de pionniers, qui concurrencera peut-être un jour Abidjan. Outre son avenir de centre industriel et commercial, elle sera aussi une importante zone touristique, grâce aux plages bien abritées qui la jouxtent.

De San Pedro à la baie de Sassandra, la côte permet tous les plaisirs du nautisme et offre tous les attraits du dépaysement. Le charme de Sassandra tient à la beauté de ses plages et de ses criques (Batélébré, Lateko, Lebleko, Poly-plage, Lagnega, Victory et Monogaga), mais aussi à celle de sa forêt dense et humide, royaume de l'iroko, du sipo, du niangon et du makoré géant, haut de plus de 30 m, dont le tronc peut atteindre 2 m de diamètre. Ce monde ombreux et vallonné est peuplé de reptiles, de grands mammifères et de hordes de chimpanzés, mais, grignoté par les exploitations forestières, il commence à perdre du terrain.

Le grand lac
en bordure de la savane

La plus importante des villes de l'intérieur est Bouaké, située dans le centre du pays, sur la route reliant la Côte-d'Ivoire à la Haute-Volta. La majorité des habitants de cette région sont des Baoulés, dont l'histoire est un épisode de la diaspora des Achantis. Lorsque le royaume achanti se stabilisa autour de Kumasi, au Ghana, une fraction de la population, chassée par des dissensions familiales, se regroupa autour de la reine Abba Pokou et vint se fixer au centre de la Côte-d'Ivoire. Selon la légende, Pokou et son peuple furent arrêtés dans leur fuite par un fleuve. Pour qu'ils fussent sauvés, l'oracle exigeait un sacrifice : la reine jeta son fils unique dans les eaux peuplées de crocodiles. Alors, sur la rive opposée, un grand fromager se coucha pour servir de pont aux fugitifs. Tous purent passer, mais la reine, déchirée, se tourna vers le fleuve et cria : *Ba ouli !* (l'enfant est mort !). Telle serait la tragique origine du nom des Baoulés.

Avec la construction du barrage de Kossou, sur le fleuve Bandama, la région est actuellement en pleine métamorphose. Lorsque ses eaux auront atteint leur niveau définitif, la retenue sera trois fois plus vaste que le lac Léman. Cent mille personnes ont dû émigrer pour ne pas être englouties, et c'est essentiellement pour limiter leur exode vers Abidjan que des agglomérations comme Bouaké et Yamoussoukro (ville natale du président Houphouët-Boigny) se sont développées. Autour de ces deux pôles, on a construit des villages, et beaucoup de paysans ont abandonné le travail de la terre pour se faire pêcheurs.

Yamoussoukro est le type même de la ville qui a grandi au rythme des besoins non de

sa population, mais des promoteurs. Très étendue, elle est quadrillée par un réseau routier moderne, que bordent des milliers de réverbères. Entre les routes et les autoroutes s'étendent de larges espaces vides, d'où surgissent, épars, l'imposante maison du Parti, le palais présidentiel, l'hôtel Président et une mosquée de style maghrébin qui semble faite de dentelle blanche et bleue. Un important centre universitaire, groupant quelque 5 000 étudiants, est prévu. Le petit lac qui jouxte la résidence du président

offre chaque jour un spectacle original : vers 18 heures, on peut assister au repas des crocodiles sacrés. Rien ne vous empêche de vous munir d'une ou deux volailles (vivantes !) et de les offrir à ces charmantes bêtes...

C'est également dans le Centre, près de Daloa, qu'est située la réserve de la Marahoué (101 000 ha), riche en animaux sauvages qu'il faut surprendre au petit matin ou au coucher du soleil. Le circuit de la «boucle du cacao», que l'on peut rejoindre à Dimbokro, fait passer de

▲
Les jongleurs du pays dan ont acquis une grande réputation en présentant des numéros d'acrobatie qui exigent à la fois du courage, de la force et une parfaite maîtrise de soi.
Phot. C. Lénars

▶
Dissimulant jusqu'à ses mains et ses pieds, le mystérieux danseur masqué du gueu-gblin fait preuve, en virevoltant sur ses hautes échasses, d'une étonnante agilité.
Phot. C. Lénars

la forêt à la savane, dont le tapis de hautes herbes est coupé d'étroites bandes de forêts-galeries, le long des marigots. Le palmier-rônier y ponctue l'horizon de bouquets de palmes et surtout de troncs morts, les villageois décapitant le bourgeon terminal pour recueillir la sève qui, une fois fermentée, constitue la véritable boisson nationale : le *bangui*.

Les montagnes du pays dan

Le pays dan, situé dans la partie montagneuse de l'Ouest ivoirien, surprend le touriste qui s'attend à ne trouver en Afrique que des terres brûlées ou la moiteur de la forêt tropicale : dans de fraîches montagnes, il rencontre l'étonnant folklore de peuples restés longtemps isolés, et il découvre leurs danses, leur artisanat et leur émouvante cordialité. Man, la principale ville de l'Ouest, est entourée de dix-huit montagnes, dont la plus escarpée est la Dent de Man. Du sommet de la plus élevée, le mont Tonkoui (1 189 m), qui émerge de la chaîne circulaire formant la cuvette de Man, on découvre un panorama splendide sur les monts bleutés des Dans et du Toura. Dans une végétation exubérante, d'un vert intense, jaillissent des cascades dont la plus belle est celle de Gbépleu. C'est dans cette région que l'on emprunte, pour traverser les nombreuses rivières, les fameux ponts de lianes réalisés selon des techniques ancestrales.

Les Dans sont parmi les meilleurs sculpteurs et danseurs de la Côte-d'Ivoire. À Danané, des acrobates juchés sur des échasses exécutent des figures compliquées, des fillettes rebondissent comme des balles entre les bras de danseurs athlétiques, armés de couteaux dont les lames frôlent les enfants sans jamais les toucher, tandis que des appels de tam-tam, de *cora* (sorte de guitare) et de cymbales annoncent la danse du feu, réservée aux hommes.

▲

La fête des Ignames, qui célèbre le début de la nouvelle année, donne lieu à de nombreuses réjouissances, où les masques tiennent une place importante.
Phot. C. Lénars

la Côte-d'Ivoire

7

Les amateurs de forêt vierge suivront, à partir de Guiglo et jusqu'au parc national de Taï (350 000 ha), la piste ouverte par les forestiers et qui n'est guère fréquentée que par quelques taxis de brousse et camionnettes. Le massif de Taï est un des derniers vestiges de la forêt primitive, et il diffère complètement des autres régions boisées, tant par sa végétation que par sa faune. C'est un monde extraordinaire : arbres géants, troupes jacassantes de singes de toutes sortes, antilopes furtives, cours d'eau courant sous une voûte de lianes enchevêtrées, fleurs étonnantes...

Passé et présent
du pays sénoufo

Depuis une époque reculée, la région de savane découverte qui occupe le nord de la Côte-d'Ivoire est le point de rencontre de populations d'origines diverses. Des Soudanais islamisés se sont imposés dans les villes qui étaient les marchés de l'or et de la cola. C'est le pays des Sénoufos, venus de la région voltaïque et fixés autour de Korhogo, de Séguéla, d'Odienné et de Kong.

Korhogo séduit tout d'abord par la variété de son artisanat : masques, statues, *canaris* (sorte de récipients) de bois et tissus peints réputés. Dans les villages environnants (Waragniéné, Napiéoledougou, Fakaha, Koni), sculpteurs, peintres, tisserands et forgerons s'affairent, excepté durant la courte saison des cultures. Le pays sénoufo est également célèbre pour la richesse des danses qui accompagnent les différentes phases d'initiation du *poro* (pour ne pas empêcher les enfants de fréquenter l'école, les indigènes ont mis au point une version accélérée de cet enseignement).

Malgré la nécessité de s'adapter à la vie moderne, les Sénoufos restent très attachés à leurs structures sociales et religieuses, grâce auxquelles ils ont pu résister à l'expansion des Malinkés. Ceux-ci se sont installés à Odienné, au nord-ouest, près de la frontière guinéenne, où l'on peut regretter que l'architecture moderne ait presque systématiquement remplacé la construction traditionnelle. Les anciens quartiers *(kablas)*, composés de cases de *banko* (pisé) à toit de chaume, disposées en cercle, ont fait place à des maisons en dur, se succédant en longue théorie au bord des rues. Le passé reste néanmoins présent grâce à la tombe de Vakaba Touré, le fondateur du Royaume malinké, qui est située en pleine ville, à côté de la Grande Mosquée.

Au nord, près de la frontière de la Haute-Volta, la célèbre mosquée de Kawara, qui date du XVIIe siècle, mérite une visite. Édifiée en argile ocre sur une charpente de poutres dont les extrémités dépassent des murs, elle est exceptionnellement vaste et composée d'une juxtaposition de coques effilées comme des obus.

À l'est, la vieille cité de Kong, capitale des Sénoufos au XIe siècle, avant la fondation de Korhogo, est accessible par une piste agréable, étroite mais bien entretenue. Après l'arrivée des Dioulas-Malinkés, elle devint un grand centre islamique, avec école coranique et mosquées construites dans le plus pur style soudanais. Au XIXe siècle, les armées de Samory Touré la rasèrent pour ne laisser qu'un désert à la colonne du capitaine Marchand. Ses habitants gardent cependant le souvenir d'un passé prestigieux.

De Kong, il est assez facile de rejoindre le parc national de la Comoé, le plus grand et celui dont la faune est le plus abondante : hippopotames, éléphants, gazelles, antilopes, buffles et lions y prospèrent. C'est un des rares endroits, en Afrique occidentale, où les amoureux des animaux peuvent s'adonner sans problème aux joies sans cruauté, mais non sans émotions, du safari-photo ■ Jeanne ROLLAND

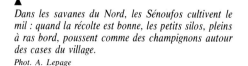

▲
Dans les savanes du Nord, les Sénoufos cultivent le mil : quand la récolte est bonne, les petits silos, pleins à ras bord, poussent comme des champignons autour des cases du village.
Phot. A. Lepage

▲ *Détenteur d'une science magique, le féticheur jouit d'une grande considération, car les amulettes qu'il fabrique peuvent protéger de bien des maux.*
Phot. Jaffre-Durou

▶ *Les Malinkés musulmans se sont répandus sur le territoire des Sénoufos animistes : dans le village de Kouto, dont ils occupent une moitié, leur présence se signale par cette mosquée de style soudanais.*
Phot. Jaffre-Durou

la Haute-Volta

Des paysages austères, de grandes plaines dont la monotonie est rompue par de rares rangées de collines peu élevées, des savanes faiblement boisées qui ne verdissent que quelques mois par an et revêtent, durant la plus grande partie de l'année, leur uniforme d'herbes sèches, transformées en cendres par les feux de brousse : telle est la Haute-Volta, dont le nom vient des bassins supérieurs des trois Voltas (la Rouge, la Blanche et la Noire), qui se réunissent au Ghana pour former un fleuve que les navigateurs portugais nommèrent *Rio da Volta* (« Rivière du Retour »).

Pays sahélien authentique, qui a su préserver les traditions ancestrales de l'Afrique, la Haute-Volta est peuplée à près de 50 p. 100 par les Mossis, dont les royaumes du Yatenga et d'Ouagadougou rayonnèrent sur l'Afrique occidentale jusqu'à la fin du XIXᵉ siècle.

Selon l'histoire transmise de père en fils par les griots, les Mossis doivent la fondation de leur dynastie à la princesse Yennenga, qui vivait comme un homme, montait à cheval et menait au combat les guerriers de son père, Na Nédéga, roi des Mamprusis. Un jour qu'elle traversait une forêt sur son étalon, la princesse s'égara et trouva refuge dans le campement d'un chasseur d'éléphants. De son union avec Rialé naquit un fils que, en souvenir de sa rencontre, elle nomma Ouedraogo, ce qui signifie « étalon » en moré (la langue des Mossis). Naba Ouedraogo est considéré comme l'ancêtre commun de tous les Mossis d'aujourd'hui. Cette légende remonterait au XVᵉ siècle. Naba Ouedraogo eut deux fils : Naba Rawa et Naba Zungrana. Le premier s'installa dans ce qui est aujourd'hui le Yatenga, d'où il chassa les Dogons. Le second et ses descendants, notamment Naba Oubri, fondèrent l'Oubritenga, qui eut pour capitale Ouagadougou.

Mais la Haute-Volta, ce n'est pas seulement les royaumes mossis. Bien d'autres peuples y vivent : Bobos, Lobis et Mandés dans l'Ouest ; Gourmantchés dans l'Est ; Peuls et Touaregs nomades dans le Nord-Est. Répartis dans des centaines de petits villages, les Voltaïques, quelle que soit leur origine, sont restés essentiellement des agriculteurs profondément attachés à la terre. C'est peut-être cet attachement qui a permis aux différentes ethnies de conserver leurs coutumes, faisant de ce pays sans plage, sans grand fleuve et sans désert l'un des plus typiques de l'Afrique noire.

Dans le Centre s'élèvent les *sukalas* des Mossis, où une clôture en paille, qui semble créer un climat d'intimité familiale en éloignant les animaux et les intrus, entoure un ensemble

▲

Passant sans transition de trombes d'eau à une éprouvante sécheresse, la Haute-Volta, à l'aide de barrages de terre, domestique le moindre ruisseau pour arroser ses vastes étendues plates.
Phot. Hervy-Explorer

de cases rondes et de greniers en vannerie, recouverts d'argile et montés sur pilotis, dont le nombre et les dimensions indiquent le degré d'opulence du propriétaire. À l'est, les maisons-terrasses en *banko* évoquent déjà les civilisations arabes du Nord. À l'ouest, les cases des Lobis ressemblent à de petites forteresses surmontées de créneaux, construites en terre de latérite mêlée à de la paille de mil hachée, et dotées d'un petit escalier extérieur qui permet d'accéder à la terrasse sur laquelle les céréales sèchent au soleil.

Ouagadougou
entre la tradition et l'avenir

L'Afrique profonde, authentique, on la rencontre sur le grand marché d'Ouagadougou, l'un des plus variés et des plus étendus du continent, où les *boubous* formés de bandes de tissus de différentes couleurs, tissées artisanalement par les paysans mossis, se mêlent aux vêtements richement brodés des notables musulmans. Dans ce pays du Sahel, on est étonné de voir de nombreux étals de beaux légumes et de fruits de toutes sortes — y compris des fraises —, cultivés dans les jardins maraîchers qui bordent le nord de la ville et sont irrigués par des barrages, modernes ou traditionnellement construits en terre. Les échoppes de tissus aux couleurs vives, d'objets en cuir rehaussés de cauris (petits coquillages blancs importés de l'océan Indien), de vanneries et de chapeaux mossis en paille ou en cuir, offrent un spectacle chatoyant et continuellement renouvelé. L'animation culmine avec les grandes fêtes, comme celle de la tabaski (fête musulmane du Mouton) qui peut rassembler, aux côtés du Moro Naba et du président de la République, jusqu'à 50 000 personnes sur la grand-place d'Ouagadougou.

Le Moro Naba, empereur des Mossis, vit toujours dans son palais à l'architecture arabo-soudanaise. C'est un grand édifice blanc, dont les portes aux arcs outrepassés donnent sur une cour intérieure. L'étiquette très stricte qui régit les rapports du monarque avec sa cour et l'influence morale qu'il conserve, en dépit de l'institution de la république, montrent combien les traditions sont restées vivaces. Pour les Mossis, le Moro Naba demeure l'incarnation du pouvoir suprême.

Tous les vendredis matins a lieu la cérémonie du « faux départ ». Cet usage tire son origine de l'histoire d'un Moro Naba qui sacrifia son amour au bien de son peuple : un jour, l'épouse favorite de cet empereur lui demanda la permission de s'absenter, l'assurant de son prompt retour. Le délai passé, le Moro Naba fit seller son cheval afin d'aller chercher son épouse. Mais la guerre grondait aux portes du pays, et le peuple supplia son souverain de rester. Alors réprimant sa peine, l'empereur descendit de sa monture : l'État a ses raisons et ne peut tenir compte de celles du cœur.

◀

Dans le Sud, des motifs géométriques, réalisés à la peinture noire, décorent les murs ventrus des greniers, auxquels on accède par une échelle rustique.
Phot. Sacquepee-Balafon

Cette commémoration se déroule dans la cour principale du palais, et son cérémonial est invariable. Chacun des participants occupe toujours la même place et joue un rôle bien déterminé. L'empereur, vêtu d'une ample cape rouge vif, reçoit les hommages de son peuple. Il est ensuite béni par l'imam, même quand il n'est pas musulman, ce qui est souvent le cas. On lui amène alors un cheval somptueusement harnaché, mais, au moment où il va l'enfourcher pour s'élancer à la recherche de sa bien-aimée, son entourage le retient. Le souverain proteste, se met en colère ; ses conseillers plaident la cause du peuple, qui ne saurait se passer de son chef vénéré. Finalement, le Moro Naba écoute la voix de la sagesse et du devoir : sa place est au milieu de ses sujets. Enthousiasmés par la grandeur de son sacrifice, les griots chantent ses louanges et les étrangers présents viennent s'incliner respectueusement devant lui.

Avec ses larges avenues aux trottoirs de terre battue, bordées d'immenses cailcedrats, Ouagadougou est aussi une ville moderne, dont les anciens bâtiments publics en *banko* ont été remplacés par des immeubles neufs. Depuis l'indépendance, la capitale de la Haute-Volta est devenue la « Genève » de l'Afrique occidentale : probablement à cause de l'accueil sympathique de sa population et de l'ambiance agréable qui y règne tout au long de l'année, de nombreuses organisations inter-africaines y ont installé leur siège. Mais c'est dans les bas quartiers que l'on goûte la véritable atmosphère africaine, notamment dans les nombreux petits bars où l'on peut déguster avec les doigts savoureuses brochettes et volailles grillées, ainsi que des poissons tout frais pêchés dans le lac qui borde le « bois de Boulogne », jolie forêt sillonnée par 10 km de pistes.

▲

Chez les Bobos, des porte-calebasses, les dobas, servent d'autels : on y dépose les offrandes destinées aux esprits protecteurs de la famille et de la terre.
Phot. C. Lénars

Les parcs nationaux, paradis des chasseurs

La Haute-Volta est toujours un centre d'attraction pour les chasseurs avertis, car c'est le pays le plus giboyeux et l'un des meilleurs terrains de chasse de l'Ouest africain. L'est du pays, notamment avec les réserves de chasse d'Arly et de Pama, et le Sud, à proximité de la région de Bouna, en Côte-d'Ivoire, sont riches à la fois par l'abondance et par la variété de la faune : éléphants, buffles, hippopotames, crocodiles, phacochères, damalisques, bubales, waterbucks, kobs de Buffon, cynocéphales, lions, panthères, guépards, hyènes, etc.

Le parc national du W, situé à cheval sur les frontières communes de la Haute-Volta, du Bénin et du Niger, a un relief fortement entaillé par les rivières tributaires du fleuve Niger. Vers le nord, la végétation de savane se transforme peu à peu en paysage sahélien, avec de belles galeries forestières le long des cours d'eau temporaires. Au sud-est, à la frontière du Bénin, le parc national et la réserve d'Arly ont

un décor plus tourmenté, composé de falaises à pic et de zones de savane arborée, entrecoupées de nombreux marigots. La chasse n'est pas le seul attrait de la région, qui offre aux non-chasseurs le spectacle d'une faune abondante et un choix de belles promenades (falaises de grès de Gobnangou, confluent de l'Arly et de la Pendjari).

Non loin de Fada-n-Gourma, à la limite des pays Mossi et Gourmantché, s'étend la réserve de Pama. Pama est le siège du chef coutumier de l'ethnie Gourmantché, dont l'ancêtre serait, selon la légende, descendu du ciel sur un cheval blanc à quelques kilomètres du village. C'est peut-être dans cette réserve que l'on rencontre, en plus de toutes les espèces qui peuplent le parc national d'Arly, le plus grand nombre d'éléphants. Autres bons terrains de chasse : les réserves partielles de Kourtiagou (contiguë au parc du W) et de Bontioli (dans le Sud-Ouest).

La route qui conduit d'Ouagadougou au parc national de Po, près de la frontière ghanéenne, permet, au prix d'un petit détour, de découvrir en pleine brousse, dans le village de Nam-Ymi, une curieuse mosquée de campagne : construite

en *banko*, elle présente une succession de terrasses crénelées, dont la plus haute est couronnée d'un minaret en forme de pyramide.

Outre les espèces animales que l'on peut observer au petit matin ou au coucher du soleil, lorsque les bêtes vont se désaltérer à la rivière, le parc de Po possède une végétation plus intéressante et beaucoup plus dense que celle des autres parcs : baobabs creusés par les défenses des éléphants, cailcedrats et gigantesques fromagers sous lesquels les animaux viennent faire la sieste.

Po est situé en pays Gourounsi. Cette ethnie occupait la région des trois Voltas avant la conquête des Mossis, qui la refoulèrent aux frontières de leurs royaumes. Peuple indépendant, les Gourounsis ont toujours su préserver leur identité. Ils forment de petites communautés, dont les chefs religieux et temporels font l'objet d'une véritable vénération : leur intronisation et leurs funérailles sont accompagnées de rites fétichistes qui n'ont pas varié depuis des siècles. Les Gourounsis sont aussi des sculpteurs de talent, dont l'art se manifeste par de grands masques totémiques, des statues d'ancêtres et le travail de l'ivoire.

▲
La Haute-Volta est un pays essentiellement agricole : la majorité de la population vit dans des villages comme celui-ci, formé de quelques dizaines de groupes de cases, dont chacun abrite une famille.
Phot. Hervy-Explorer

▲
Les éléphants sont les vedettes du parc national de Po,
la réserve d'animaux la plus proche de la capitale.
Phot. A. Lepage

Quant à leur technique architecturale, on en a un bon aperçu à Tiébélé, où les traditionnelles cases rondes se pressent les unes contre les autres, coiffées de terrasses auxquelles on accède par un escalier extérieur en terre battue.

Crocodiles sacrés
et ruines mystérieuses

L'Ouest, avec Bobo-Dioulasso pour principal centre économique, est la région la plus fertile du pays. Première étape après Ouagadougou, sur la route de Bobo-Dioulasso, Koudougou est une grande ville mossi. Avec ses maisons de *banko* et ses marchés animés, elle a beaucoup de caractère, et les traditions y demeurent très vivaces. Ainsi, les funérailles d'un chef coutumier donnent lieu à une cérémonie spectaculaire, où des danseurs, venus des villages voisins, arborent des costumes rouges et de grands masques représentant de légendaires ancêtres crocodiles.

Car, en Haute-Volta, le crocodile est sacré. Dans le paisible village de Sabou, près de Koudougou, la population le vénère à l'égal d'un dieu. Un étang bordé de roseaux abrite toute une tribu de ces énormes reptiles, et il n'est pas rare de voir un enfant s'avancer dans l'eau, un poulet vivant à la main, pour l'offrir en sacrifice à un monstre somnolent.

Dans cette région, toutes les occasions sont bonnes pour s'exprimer par la musique et la danse. Les masques se succèdent. Certains ont plus de 2 m de haut. Chez les Bobo-Oulés, peuple de paysans animistes, soumis au rythme des saisons, ils personnifient « Do », l'esprit protecteur qui éloigne les démons du village à l'époque de la récolte et lors de la célébration des morts.

Bobo-Dioulasso, fondée au XVe siècle, fut longtemps en conflit avec les royaumes voisins. Capitale économique du pays, c'est une ville dynamique qui, avec son grand marché et ses quartiers africains aux ruelles tortueuses, présente les mêmes attraits qu'Ouagadougou.

▶
Cueilli dans les champs, vanné sur le chemin du retour à l'aide de deux demi-calebasses, le mil sera prêt à être pilé en arrivant au village.
Phot. Rafi-Balafon

▶▶
D'importation relativement récente (XVIIIe s.), l'islam a parsemé le pays de mosquées hérissées de piquets et bardées de contreforts, mais il n'a pas pénétré profondément dans la population. (Grande Mosquée de Bobo-Dioulasso.)
Phot. C. Lénars

▲
Le Nord, sec et aride, est en partie peuplé par de petites minorités de nomades vivant sous la tente, comme cette jeune femme bela.
Phot. J. Guichard

Sa mosquée de *banko*, bordée de contreforts en pains de sucre et hérissée de piquets, est un bel exemple de l'adaptation du style africain aux traditions de l'islam.

La région ne manque pas de séductions, telles les falaises de Banfora et les belles chutes d'eau, formant des piscines naturelles, qui jalonnent le cours de la Comoé. Près du lac de Tingréla, le village du même nom est réputé pour ses danseuses, surnommées «trembleuses de Tingréla». À Borodougou, la falaise est percée, comme à Banfora, de grottes naturelles, transformées en greniers par l'adjonction de murs, en pierre ou en *banko*, ornés extérieurement de moulures de glaise ; nul ne connaît l'origine de ces curieuses constructions.

Plus au sud, vers la frontière du Ghana, c'est le pays lobi, dont Gaoua fut une des capitales. Cette ethnie très ancienne a résisté victorieusement aux conquérants venus d'Afrique et d'Europe. Les Lobis sont des chasseurs qui utilisent encore l'arc et la flèche. Leurs cases de *banko* à toit plat, dont la porte est l'unique ouverture, ressemblent à des casemates.

À Gaoua et dans le village proche de Loropéni, des ruines défient, jusqu'à ce jour, la perspicacité des archéologues. Elles se présentent comme de vastes quadrilatères (50 m de côté à Gaoua, le double à Loropéni) aux murs épais, hauts de 2 m environ, faits de blocs de latérite cimentés avec du sable et de l'argile. Cette première enceinte en enferme une seconde, à peine moins massive et tout aussi dépourvue de portes et de fenêtres. À quoi servaient ces étranges camps retranchés ? On a supposé qu'ils avaient pu être bâtis par des trafiquants d'esclaves pour y regrouper leurs pitoyables troupeaux, mais d'autres hypothèses, basées sur l'originalité de la construction, très différente de tout ce que l'on peut trouver dans le pays, les attribuent aux Portugais, aux Marocains... ou même aux Égyptiens. Les villageois, qui les craignent et évitent de s'en approcher, les appellent «maisons du refus».

Signe de la pérennité des usages en pays lobi, on utilise encore des coquillages pour régler ses achats sur le marché de Kampti. Il s'agit de cauris, petites coquilles blanches, en forme de grain de café, dont la fente médiane évoque le sexe féminin. Les Africains les emploient en grand nombre, comme monnaie et comme parure, depuis des siècles.

Au nord, le Sahel

Capitale du Yatenga, Ouahigouya est une ville importante, située au milieu d'une plaine dénudée. C'est là que réside le Naba, descendant de l'ancien chef local, qui est toujours entouré de beaucoup de respect par la population. Souvenir de l'époque coloniale, de grands bâtiments blancs à colonnes contrastent avec

les cases rondes à toit pointu, toujours accompagnées de greniers cylindriques, véritables silos dans lesquels on pénètre par le haut.

Au nord-est d'Ouahigouya commence le pays des Peuls et des Touaregs, peuples de nomades qui, dans un paysage aride, s'accommodent d'un mode de vie digne des temps bibliques. Dori, cité peule et grand marché aux bestiaux, où passe le méridien zéro de Greenwich, se trouve au centre du Liptako (en peul, «qui ne

◄
Les Peuls aux vastes chapeaux-parasols, traditionnellement éleveurs, commencent à se convertir à l'agriculture, renonçant ainsi à leur existence errante.
Phot. A. Lepage

peut être terrassé »). Ici, l'architecture est soudanaise, et la cohabitation entre nomades et sédentaires se fait sans heurt.

Le pays des Kurumbas est réputé pour ses forgerons, notamment ceux de Kongoussi, où des hauts fourneaux aux allures de termitières, toujours debout bien qu'on ne les utilise plus, se dressent à travers la campagne.

Les Kurumbas, implantés dans la région depuis fort longtemps, sont restés fidèles à leur religion. Ils prétendent qu'ils descendent des Tellems, qui occupaient les falaises de Bandiagara, au Mali, avant que les Dogons ne les en chassent. Chaque année, ils franchissent la frontière pour aller déposer des offrandes dans certains endroits sacrés du berceau de leur race. Bien qu'ils semblent être en cours d'assimilation par les Mossis, leur langue reste différente, et leurs cases à étage, groupées par deux, sont uniques en Afrique.

Près du village d'Aribinda, une colline que les autochtones appellent « Mère » constitue un véritable musée archéologique. Des parois de rocher et des grottes sont ornées de gravures représentant principalement des cavaliers et des lions. Des centaines de mortiers, probablement destinés au broyage du karité (amandes dont on extrait de l'huile), ont été creusés à même le roc, et les fouilles ont livré des objets en cuivre, des restes de poteries... ■ Jeanne ROLLAND

▲
L'environnement desséché d'Aribinda n'a rien d'exceptionnel dans le Nord, où l'inéluctable progression du Sahara transforme peu à peu le Sahel en désert.
Phot. Dumas-Fotogram

▶
Bien qu'un peu plus arrosé, le pays bobo n'est pas assez fertile pour nourrir toute la population, et beaucoup de ses habitants doivent s'expatrier.
Phot. A. Lepage

le Ghana

Il y avait l'ivoire et les épices. Et, surtout, l'or, avant même qu'il ne fut question d'esclaves... La configuration du rivage permettait aux bateaux d'aborder facilement, et le littoral n'avait pas l'aspect inhospitalier d'une zone marécageuse ou d'une forêt vierge infestée de fauves et d'animaux propagateurs de maladies épouvantables. Autant de circonstances qui ne pouvaient qu'attirer les navigateurs et les commerçants européens en quête de marchandises et, dans une moindre mesure, de débouchés. Il n'est donc pas étonnant que le front de mer du Ghana — que l'on baptisa d'abord « Côte-de-l'Or » — soit encore jalonné de forts et de châteaux bâtis par des Européens de divers pays et hérissés de canons dont des siècles de rouille n'ont pu venir à bout.

L'un des plus connus est le château San Jorge, à Elmina (*mina* signifie « mine » en portugais ; mine d'or, en l'occurrence). Faut-il attribuer sa construction à des Français venus de Dieppe à la fin du XIVᵉ siècle, ou, comme cela paraît plus vraisemblable, aux Portugais arrivés au XVᵉ siècle ? Ce qui est en tout cas certain, c'est que San Jorge passa ensuite aux Hollandais, et qu'il comporte un « bastion de France » dont on peut supposer qu'il eut un jour un occupant français...

À Axim, les origines du fort Antonio sont établies d'une façon plus sûre : il est l'œuvre des seuls Portugais. Mais, ici aussi, vinrent ensuite les Hollandais, qui cédèrent un peu plus tard les lieux aux Anglais.

À Cape Coast, l'ancienne Oguaa, les caves du château servirent un bon moment d'« entrepôt » pour les esclaves en instance d'embarquement. Le site attira également quantité de visiteurs européens d'origines diverses avant que les Anglais ne s'y fixent si solidement — non sans problème, d'ailleurs, avec la population fanti — qu'ils firent de la cité la première capitale de leur colonie lorsque Danois et Hollandais leur laissèrent le champ libre, à la fin du XIXᵉ siècle.

Tous les vestiges architecturaux d'une époque qui ne fut pas toujours à la plus grande gloire de l'Europe sont loin d'avoir la même ampleur. À Ada, par exemple, le fort de Prampram est bien modeste, mais la localité, située à l'embouchure de la Volta, n'en a pas moins vu défiler, notamment au XIXᵉ siècle, un certain nombre de personnages hauts en couleur. On trouve encore à Ada des descendants d'un certain Alexandre Dumas, petit-fils du célèbre romancier, qui, après avoir beaucoup bourlingué, fit une fin en épousant l'héritière d'une riche famille de négriers.

▲
Douves et pont-levis défendaient le château d'Elmina, la première des forteresses que les négociants européens édifièrent sur la « Côte-de-l'Or ».
Phot. Riboud-Magnum

Histoire
Quelques repères

IIIᵉ-XIIᵉ s. : empire du Ghana, qui, à son apogée, règne sur tout le Soudan occidental.
Fin du XIᵉ s. : conversion forcée à l'islam par les Almoravides.
XIVᵉ s. : fondation probable d'un comptoir à Elmina par des Dieppois.
XVᵉ s. : les Portugais s'installent sur la Côte-de-l'Or ; ils sont bientôt suivis par les Hollandais, puis par les Anglais.
1844 : la Grande-Bretagne signe un traité définissant ses rapports avec les populations du Sud.
1871 : les derniers Hollandais se retirent du pays.
1874 : la Côte-de-l'Or devient officiellement une colonie britannique.
1877 : transfert du siège administratif d'Oguaa (Cape Coast) à Accra.
1902 : fixation des limites de la colonie proprement dite, du territoire conquis sur les Achantis et du protectorat du Nord.
1919 : l'ex-Togo allemand est partagé entre la Côte-de-l'Or et le Dahomey français.
1925 : réforme politique ; la population est appelée à participer au gouvernement.
1951 : nouvelle constitution ; le Dʳ Nkrumah, Premier ministre.
6 mars 1957 : proclamation de l'indépendance ; la Côte-de-l'Or prend le nom de Ghana.
1960 : le Ghana devient une république.

Depuis cette date, le pouvoir est passé plusieurs fois des mains des militaires à celles des civils.

le Ghana

2

▲
Près de Kumasi, en pays achanti, la route goudronnée s'arrête à l'orée de la réserve où les bêtes vivent en liberté dans un cadre aussi naturel que possible.
Phot. Englebert-Rapho

Accra, capitale politique

À l'arrivée des Portugais, la région d'Accra, actuelle capitale politique du pays, était occupée par les Gas, une ethnie d'agriculteurs et de pêcheurs. Très vite, les Gas se convertirent au négoce : la fourniture d'or, puis d'esclaves, leur apparut nettement plus profitable que la culture ou la pêche, qu'ils eurent cependant la sagesse de ne pas abandonner complètement.

Au XVIIᵉ siècle vinrent les Hollandais, qui construisirent Fort-Crèvecœur, appelé plus tard Ussher Fort, puis les Suédois, qui bâtirent Christianborg Castle, et les Anglais, qui édifièrent James Fort. Christianborg passa aux mains des Danois, puis des Portugais, puis de nouveau à celles des Danois avant d'être enlevé par une ethnie adverse des Gas, les Akwamus. Repris par les Danois, le château échut finalement aux Anglais. En 1874, ceux-ci en firent la résidence du gouverneur de la colonie, trouvant Accra plus centrale qu'Oguaa et estimant par ailleurs qu'une présence officielle y était nécessaire pour contrôler une population locale portée à l'indiscipline, sinon à la résistance.

Dotée, dans les premières années du XXᵉ siècle, de nombreux équipements collectifs, dont une ligne de chemin de fer la reliant à Kumasi, Accra prit une rapide extension, à peine ralentie par diverses catastrophes telles qu'une épidémie de peste et un tremblement de terre.

Accra possède aujourd'hui toutes les caractéristiques d'une grande cité africaine, pleine de bâtiments modernes aux lignes futuristes. C'est la capitale d'un pays indépendant depuis le 6 mars 1957, et dont le nom est celui d'un empire qui s'effondra au XIIᵉ siècle, après avoir dominé tout l'ouest du Soudan entre le IVᵉ et le Xᵉ siècle.

On s'étonnera peut-être qu'une capitale maritime comme Accra ne dispose pas d'un port de commerce bien équipé. Le seul port d'Accra n'héberge qu'une flottille de petits pêcheurs

artisanaux. Les deux grandes ouvertures du Ghana sur la mer sont, d'une part, Tema, toute proche d'Accra, et, d'autre part, Takoradi, qui jouxte Sekondi, elle aussi reliée par chemin de fer à Kumasi.

Au nord d'Accra, la région de Koforidua est essentiellement agricole. Au nord-est, on est en pays éoué. Ho, le chef-lieu de la région, né de la réunion de plusieurs villages, est chaque année le centre d'un grand rassemblement de l'ethnie. La ville fut le siège administratif des Allemands à l'époque où leur « colonie modèle » du Togo couvrait un territoire plus vaste que le Togo actuel et englobait, notamment, toute la zone d'implantation des Éoués, aujourd'hui coupée en deux par la frontière entre le Ghana et le Togo.

C'est dans cette partie du territoire ghanéen qu'a été construit, sur la Volta, le barrage d'Akosombo, dont la centrale électrique alimente, en plus du Ghana, auquel elle fournit l'énergie nécessaire à son industrialisation, le Togo et le Bénin. La retenue du barrage forme un immense lac de 400 km de long.

L'attachante culture des Achantis

Le groupe ethnique le plus important du Ghana est celui des Achantis, un rameau de la grande famille des Akans. Leur chef suprême, l'*asantehene*, réside toujours à Kumasi, mais les Anglais, en matant une rébellion, ont malheureusement brûlé son extraordinaire palais.

C'est ici le pays de l'or : les mines d'Obuasi, capitale du métal précieux, ne sont pas loin. Les bijoux de l'*asantehene* et des notables qui l'entourent dans les grandes occasions ont suscité depuis des siècles l'enthousiasme des visiteurs étrangers, éblouis par une telle opulence. Mais ces fastes ne sont que les signes

extérieurs de l'une des civilisations les plus intéressantes de l'Afrique noire, caractérisée par un symbolisme très poussé.

La culture achanti est amplement représentée au Musée national d'Accra, mais le musée du Centre culturel de Kumasi en donne peut-être un aperçu plus passionnant. Toujours vivante, elle s'exprime dans des lieux tels que le sanctuaire du petit village de Patakoro, mais aussi à travers les croyances qui imposent encore certaines attitudes. C'est ainsi que, pour pêcher dans le lac Bosumtwi, on ne saurait se déplacer autrement que sur un simple tronc d'arbre, en se servant de ses mains pour pagayer, les eaux du lac abritant, paraît-il, un génie qui ne supporte pas les pirogues.

Les Achantis sont les spécialistes du *kente*, vêtement composé de bandes tissées sur des métiers étroits et réunies ensuite pour former une étoffe de la longueur et de la largeur désirées. Les motifs, très riches, sont également symboliques : utilisés tous ensemble, ils expriment la perfection. Le *kente* étant réservé aux hommes, les femmes portent l'*adinkra*, dont le tissu est orné de dessins imprimés à la main, représentant des symboles traditionnels.

Des huttes d'hier au « kraal » d'aujourd'hui

Au nord de Kumasi, la région de Sunyani, jadis centre de l'ivoire, se consacre maintenant à la production du cacao et à l'exploitation du bois, deux appréciables sources de devises. On y a fait d'importantes découvertes archéologiques. À Kintampo notamment, on a mis au jour des vestiges d'habitat datant de 1 500 av. J.-C. Il s'agit de fondations de maisons construites en argile et en bois, et, de toute évidence, alignées avec soin. Haches de pierre polie, poteries, statuettes, ossements d'animaux domestiques... tous ces vestiges indiquent que des êtres civilisés, pratiquant l'élevage, menaient à cette lointaine époque une vie très similaire à celle des habitants actuels de la région. Aussi les archéologues et les historiens portent-ils un intérêt particulier à l'étude de la « culture de Kintampo ».

Tamale, chef-lieu de la région du Nord, est le cœur du pays du riz et du coton, et un point de rencontre entre Dagombas locaux et Vol-taïques venus d'Ouagadougou ou d'ailleurs. La véritable capitale historique des Dagombas est cependant Yendi, autrefois halte des caravaniers progressant d'est en ouest ; le chef suprême de l'ethnie y réside toujours.

Dans l'est de la région de Tamale vivent également des Konkombas et des Tyokossis, peuplades que l'on retrouve de l'autre côté de la frontière du Togo. Dans l'ouest, le parc national de Mole est, depuis 1971, une réserve où abondent les antilopes.

En se rapprochant davantage de la frontière avec la Côte-d'Ivoire et la Haute-Volta, on pénètre dans une zone fortement islamisée. Les mosquées y ont une allure très particulière : massives, peintes en blanc, elles évoquent des faisceaux d'énormes obus. Les plus réputées sont celles de Wa.

À l'extrême nord du pays, Bolgatanga est la cité des Frafras. L'une des caractéristiques régionales est le type d'habitation, généralement appelé *kraal*. Ici, la famille est restée fondamentalement patriarcale, et le *kraal* abrite souvent plusieurs générations dans un groupe de cases reliées entre elles par des murets et entourées d'une muraille ■ Maurice PIRAUX

◀
À la cour de l'asantehene, roi (sans royaume) des Achantis, les coiffures des patriarches du Conseil des anciens rappellent que l'on est au pays de l'or.
Phot. A. Hutchison Lby

▲
Sur la terrasse du château de Cape Coast, construit par les Anglais au XVIIᵉ s., batterie de canons et provision de boulets n'ont plus à faire face qu'aux sournoises attaques de la rouille.
Phot. A. Hutchison Lby

le Togo

Samedi. Le jour se lève à peine sur Lomé. Au cœur de la vieille ville, dominée par les deux flèches ajourées de la cathédrale du Sacré-Cœur, les rues s'animent. Des marchandes, l'allure à la fois altière et nonchalante, s'installent un peu partout, sur les trottoirs de la rue du Commerce et dans les ruelles avoisinantes. L'une d'elles, au pagne chamarré, a déjà étalé sur un plateau d'osier quelques tomates, de petits citrons, des piments verts et rouges. Une autre, au pagne plus bariolé encore, un bébé somnolant accroché dans le dos, est absorbée par la réalisation d'une mosaïque argentée : il s'agit de présenter au mieux ses poissons séchés et odorants. Une « Nana Benz » arrête sa rutilante Mercedes à deux pas d'un dormeur que rien ne semble pouvoir éveiller et s'engouffre dans le bâtiment moderne du Centre commercial permanent de la cité. Une « Nana Benz », c'est, en gros, une

commerçante qui a réussi. Souvent guère moins démunie, au départ, que l'immense majorité de ses consœurs, dont les affaires se bornent à écouler au mieux la production d'un modeste lopin de terre, elle pratique aujourd'hui le négoce à grande échelle, de préférence celui des tissus, et, souvent, n'ignore plus rien des arcanes de l'import-export. Il y a peut-être, à Lomé, un mythe de la « Nana Benz », mais, si c'est bien un mythe, il a la vie dure et constitue un espoir pour bien des femmes.

Déjà, la foule s'agglutine. On vient de loin assister au marché du samedi à Lomé. La gare routière toute proche en témoigne : les véhicules les plus divers ne cessent d'y débarquer un monde coloré et bruyant, chargé de ballots aux formes les plus imprévues. On vient vendre, on vient acheter dans une bousculade indescriptible, un festival de bruits et de senteurs.

Le remue-ménage ne s'apaisera — lentement très lentement — qu'au moment où le soleil, déjà haut dans le ciel, sera devenu si ardent que chacun n'aura plus qu'une envie : rentrer chez soi ou faire un petit somme dans le premier coin d'ombre venu. Telle est Lomé, capitale du Togo, le samedi matin.

Vingt-quatre heures plus tard, Lomé a un tout autre aspect. Si l'on excepte les alentours de la cathédrale à la sortie de la grand-messe, Lomé, le dimanche, est paisible. Plus paisible qu'une petite ville de province occidentale, sauf, peut-être, quand un match de football ou quelque manifestation draine tout un peuple vers le stade ou la place de l'Indépendance.

Lomé, le dimanche, c'est la flânerie, sinon la flemme. S'il ne fait pas trop chaud, on peut, partant du wharf de l'ancien port, parcourir la Marina, large boulevard en bordure de plage,

◀ *À Bassari, dans le nord du Togo, la danse des jeunes vierges permet d'admirer les subtiles variations de la coiffure traditionnelle.*
Phot. B. Desjeux

▲ *Les Tambermas, dont le nom signifie « bons maçons », construisent des fermes ressemblant à de petits châteaux forts : devant leur étroite entrée s'élèvent les cônes de terre des autels destinés aux sacrifices familiaux.*
Phot. Dumas-Fotogram

qui longe le quartier résidentiel et administratif et se poursuit jusqu'à la porte du Ghana. Car Lomé est une des rares capitales du monde — avec Porto-Novo, au Bénin — à être en même temps une ville-frontière. Près des postes de douane, il y a toujours un peu de monde, car on va volontiers se saluer entre membres de la même ethnie : on est Éoué des deux côtés de la barrière, et l'unité ethnique n'a que faire des limites administratives.

Les ethnies, on en dénombre une quarantaine au Togo, d'importance inégale et comportant souvent des subdivisions. Les Éoués, dont la capitale historique est Notsé, sont essentiellement localisés dans le Sud ; ils constituent un bon tiers de la population du pays. Les Kabrés — un autre tiers — se rencontrent surtout dans la région de Lama-Kara, beaucoup plus au nord, mais aussi dans le centre du pays, où ils ont émigré, poussés par la croissance démographique et le besoin de nouvelles terres.

Le coin des féticheurs

Quelle que soit leur ethnie, la plupart des Togolais sont restés très attachés à leurs croyances animistes. Le catholicisme et le protestantisme ne touchent qu'un dixième de la population, et l'islam ne compte que quelques dizaines de milliers d'adeptes, très localisés (notamment dans la région de Sokodé).

Les ethnies, souvent composées de plusieurs clans dont chacun a son animal-totem ou son génie protecteur, se caractérisent par leurs coutumes. Il existe des prêtres, dûment préparés à l'exercice de leurs fonctions religieuses. Non loin de Lomé, par exemple, l'initiation se pratique dans des bois sacrés interdits aux étrangers.

◄
Marché à Badou, gros village de montagne où la production du cacao a attiré des populations venues de tous les coins du pays.
Phot. B. Gérard

▲
*Le long de la courte côte du Togo, un ruban de sable
à peu près continu s'étire entre des bouquets de
cocotiers et la mer que la barre frange d'une blanche
ligne d'écume.*
Phot. B. Desjeux

Histoire
Quelques repères

VIIᵉ-XIIᵉ s. : implantation des Kabrés dans le Nord.

XVᵉ s. : des commerçants européens longent la côte, mais y débarquent moins que dans les régions voisines.

XVIᵉ s. : les Éoués, venus du Nigeria en passant par le Bénin, s'installent à Tado.

Fin du XVIᵉ s : un groupe d'Éoués gagne Atakpamé ; un autre, Notsé.

XVIIᵉ s. : Petit-Popo (Anécho) est un relais pour les négriers ; à Notsé, nouvelle dispersion des Éoués.

XVIIIᵉ s. : arrivée des Guins, venus de l'actuel Ghana ; les Danois à Petit-Popo.

Fin du XVIIIᵉ s.-début du XIXᵉ s. : présence de « Brésiliens », esclaves rentrés au pays.

1842 : arrivée de missionnaires anglais, qui seront suivis de missionnaires allemands.

1884 : l'explorateur Nachtigal conclut, avec un roi local, un traité plaçant le pays sous protectorat allemand.

1897 : Lomé succède à Anécho comme siège administratif des Allemands, qui entendent faire du Togo une « colonie modèle ».

1914 : la « colonie modèle » est envahie par les troupes franco-britanniques ; c'est la première victoire des Alliés sur l'Allemagne.

1919 : la Société des Nations place les deux tiers du Togo allemand sous mandat français, le troisième tiers sous mandat britannique.

1946 : les Togos français et britannique passent sous la tutelle de l'O. N. U.

1956 : à la suite d'un référendum, le Togo britannique est rattaché à la Côte-de-l'Or.

27 avril 1960 : le Togo français devient une république indépendante.

Les féticheurs et les devins jouent un rôle important dans la vie quotidienne. À Bè, un faubourg de Lomé, un grand espace du marché leur est réservé. Sur leurs étals, on peut acquérir les instruments de musique — surtout des sonnailles — faisant partie de la panoplie des féticheurs : la gamme des *gongons* semble inépuisable. On y trouve aussi des statuettes, grossièrement taillées dans le bois, qui servent au culte des jumeaux, en honneur dans la région. À condition d'être prévenu, on y remarque également des cauris (coquillages) et des morceaux de quartz troués en leur milieu — on les appelle « pierres de tonnerre » — qui servaient jadis de monnaie. Quant au reste, comment savoir ce que signifient mille objets hétéroclites : plumes et crânes d'oiseaux, osselets en tout genre, poils d'animaux, etc. ? Monde mystérieux, inquiétant et bon enfant tout à la fois, le marché de Bè offre bien d'autres curiosités. Proche du centre de la capitale, il a cependant un petit air campagnard qui annonce les marchés de l'intérieur, celui de Voga, par exemple, ou, plus loin encore, ceux d'Anié, de Kétao et de Niamtougou.

La route côtière qui joint Lomé à la frontière du Bénin longe presque constamment la plage. Il n'est pas rare d'y voir des pêcheurs tirer de l'eau les immenses filets bleus que, bravant la barre, d'habiles rameurs ont été jeter à la mer. Dans la cocoteraie parfois dense, des troupeaux de petit bétail paissent une herbe rare.

Cette route côtière dessert également une zone industrielle (sur laquelle s'est implantée une impressionnante raffinerie de pétrole), ainsi que les installations du port de Lomé. C'est là que sont embarqués les phosphates, richesse principale du pays.

D'Agbodrafo — que les Portugais appelaient Porto-Seguro — au lac Togo, la route n'est pas longue. Sur les rives boisées, peuplées d'innombrables oiseaux, des pirogues vous attendent pour vous conduire à Togoville, le petit village où, en 1884, le roi local Mlapa signa avec l'explorateur Nachtigal un traité assurant l'hégémonie allemande sur un pays qui allait s'appeler le Togo. De l'autre côté du lac, jusqu'à Tabligbo et Tsévié, la région où sont situés les gisements de phosphates est le grenier de la zone maritime. Les cultures y sont nombreuses. De temps à autre, un baobab solitaire apporte une touche insolite au paysage.

Plus à l'est, sur la rive du Mono qui forme la frontière avec le Bénin, certains villages, souvent difficiles d'accès, recèlent des curiosités. Agomé-Séva, par exemple, est un lieu de pèlerinage : l'effigie de Dagbanzé, dieu de la Réussite, y est enfouie sous des draps souillés du sang de nombreux sacrifices.

Au pays des flèches empoisonnées

À l'opposé, côté Ghana, Palimé est le sommet méridional du triangle dit « du café et du cacao ». On y trouve principalement des caféiers, notamment sur les flancs du mont Agou qui, avec ses 986 m d'altitude, est le point culminant du pays, les cacaoyers étant surtout nombreux du côté de Badou et d'Atakpamé, plus au nord. Les deux cultures furent introduites par les Allemands, le climat et le sol se prêtant particulièrement bien à ce type de plantation. La production, éparpillée entre une multitude de petites exploitations, a d'ailleurs beaucoup décliné, et le gouvernement s'efforce, depuis quelques années, de lui insuffler un regain de vigueur.

Au nord-est d'Atakpamé, Kamina rappellera une anecdote aux historiens de la Première Guerre mondiale. Les Allemands s'étaient établis dans cette localité à la fin du siècle dernier, et ils avaient installé, en janvier 1914, une station-radio qui, exploit pour l'époque, les reliait directement à Berlin. Ils la dynamitèrent eux-mêmes quelques mois plus tard, avant de se rendre, en août 1914, dans les jours qui suivirent la déclaration de la Première Guerre mondiale, aux troupes franco-anglaises venues les unes du Bénin (alors Dahomey), les autres du Ghana (alors Côte-de-l'Or).

Entre Atakpamé et Sokodé, à gauche du grand axe routier du pays, les visiteurs sont encore peu nombreux à quitter la grande route pour s'aventurer dans les forêts touffues de Fazao et de Malfakassa. Ces forêts sauvages, peuplées d'une faune abondante, sont d'une grande beauté. Elles deviendront sans doute, après les aménagements prévus, l'un des paradis du safari-photo africain.

Au nord-ouest de Sokodé, la région de Bassari possède un sol ferrugineux. Les Bassaris, dont le python est l'animal protecteur, furent donc naturellement portés à maîtriser très tôt les techniques du fer. Il en fut de même des Konkombas, qui vivent au nord de Bassari et que l'on retrouve au Ghana. Ceux-ci ont gardé une réputation de redoutables guerriers ; non seulement ils fabriquaient des flèches perfectionnées, mais ils en empoisonnaient la pointe

▲ *Généralement peu profondes, se réduisant à presque rien en saison sèche, les nombreuses rivières du Togo s'étalent largement quand viennent les pluies et sont alors très fréquentées : on y pêche, on y lessive, on s'y ébat joyeusement.*
Phot. Serraillier-Rapho

▶ *Au Togo, on ignore les masques en bois sculpté : les danseurs konkombas se parent de casques à franges, ornés de coquillages et surmontés d'une imposante paire de cornes.*
Phot. Mandery - C. E. D. R. I.

en la plongeant dans un mélange resté mystérieux de strophantus, de venin de serpent et d'autres ingrédients, qui fit de nombreuses victimes parmi les troupes allemandes.

Au nord-est, Lama-Kara est le centre du pays Kabré, une région montagneuse au sol caillouteux et aride. Les Kabrés ont pourtant toujours réussi à y faire pousser du mil et du sorgho, grâce à un système de terrasses habilement irriguées. Cette prouesse leur a valu le surnom de « paysans des pierres ».

Les Kabrés forment une ethnie très attachante, fidèle à ses convictions et à ses coutumes. Leur rude vie est jalonnée de fêtes et de cérémonies à caractère religieux. Chacune de celles-ci a ses rythmes, ses danses, voire ses instruments de musique particuliers. Ces derniers sont fort nombreux, et certains d'entre eux ne peuvent être utilisés que par des personnes répondant à des critères bien déterminés et dans des circonstances très précises.

L'habitat des Kabrés, appelé *soukala*, est également caractéristique : c'est un agglomérat de petites cases rondes, à toit pointu, abritant une vie familiale patriarcale et communautaire.

Encore plus au nord vivent les Tambermas, proches parents des Sombas du Bénin. Comme eux, ils habitent dans des *tatas*, sortes de petits châteaux forts en *banko*, répartis dans la campagne à portée de flèche les uns des autres. Dans une zone de savane, le parc national et la réserve de faune de la Kéran abritent antilopes, éléphants (de plus en plus nombreux), lions et panthères.

Dapong, dernière localité importante du pays avant la plaine voltaïque, est située dans une région accidentée, sillonnée par les Peuls et leurs troupeaux. Pour découvrir son climat agréable et son folklore original, il faut accepter l'inconfort relatif d'un hébergement simple : l'hospitalité, ici, n'est pas un vain mot, et le dépaysement est absolu ■ Maurice PIRAUX

▲
Dans un magnifique paysage de rochers et de verdure, les spectaculaires chutes de Kpimé, hautes de plus de 100 m.
Phot. B. Gérard

▶
Les paysans kabrés parviennent, dans un pays aride, à faire pousser des champs de mil autour de leur soukala, groupe de cases rondes abritant une communauté patriarcale.
Phot. Martinengo-Fotogram

le Bénin

De tous les ports d'Afrique occidentale que rendit tristement célèbres la traite des Noirs, Ouidah, sur le territoire de l'actuel Bénin, n'est certes pas le moins connu. Impression ou réalité : il semble que, aujourd'hui encore, une étrange atmosphère règne sur la ville, comme si les fantômes des négriers et de leur « marchandise » rôdaient dans ses rues étroites.

À la fin du XVIIᵉ siècle, des négociants portugais, anglais, danois et français, spécialisés dans le commerce triangulaire Europe-Afrique-Caraïbes, établirent des comptoirs fortifiés à Ouidah, contrôlée par le royaume d'Abomey. Les chefs locaux allaient quérir, loin à l'intérieur des terres, le « bois d'ébène » que leurs femmes se chargeaient de négocier, habilement et âprement, avec les Européens. Les esclaves étaient marqués au fer rouge et parqués dans des locaux sombres et exigus

avant d'être entassés dans les cales des navires en partance. Nombreux furent ceux qui n'arrivèrent jamais à destination, très rares ceux qui, affranchis et parfois enrichis, revinrent plus tard au pays ; parmi ces « Brésiliens », le plus connu est sans doute Félix de Souza, que Ghézo, roi d'Abomey, nomma gérant d'Ouidah.

Au XVIIIᵉ siècle, une autre localité, celle-ci aux mains des Adjas, rivalisa avec Ouidah dans ce commerce assez particulier : Porto-Novo. C'est aujourd'hui la capitale de la République. La porte en bois sculpté du musée — elle provient de l'ancien palais de Kétou — donne accès à de remarquables collections de sculptures, notamment de petits masques surmontés de motifs satiriques. À l'ouest de la ville, une palmeraie assez dense abrite de nombreux artisans : les femmes façonnent sans tour des jarres d'argile, tandis que les hommes sculptent

des masques et tressent des paniers. À l'est, les pittoresques villages de l'Ouémé ne sont lacustres qu'en période de pluie ; pendant la saison sèche, on peut flâner à pied sec entre les pilotis qui portent des cases dont les murs sont colmatés avec une argile rougeâtre.

Ici naquit le vaudou

Ouidah et Porto-Novo n'exportèrent pas seulement d'innombrables esclaves, mais aussi les religions traditionnelles auxquelles ceux-ci étaient attachés et qui imprègnent encore profondément la vie quotidienne de la plus grande partie des habitants du Bénin. On retrouve des rites propres à ces religions, parfois à peine modifiés, dans les cultes pratiqués par les

◀
Le front surmonté de cornes d'antilope, la lèvre inférieure ornée d'une défense qui semble percer la chair, une jeune fille somba parée pour la cérémonie de l'initiation. (Nord du Bénin.)
Phot. Englebert-Rapho

▲
Partout où il y a de l'eau, la pirogue est le moyen de transport par excellence.
Phot. Hoa-Qui

Avant le XVᵉ s. : très peu d'informations incontestables sur les innombrables migrations d'ethnies en Afrique occidentale ; celles qui s'implantent au Bénin sont d'origine yorouba.

XVᵉ s. : les rivages du Bénin commencent à être fréquentés par des navigateurs européens.

1570 : une carte de Mercator mentionne le royaume de Dan-Homé.

XVIIᵉ s. : les Portugais baptisent « Porto-Novo » le village d'Hogbonou, tandis que Hollandais et Anglais fondent, sur l'emplacement de l'actuelle Cotonou, le comptoir de Jeken.

1645-1685 : sous le règne d'Ouegbadja, le Dan-Homé s'agrandit et établit sa capitale à Abomey.

Fin du XVIIᵉ s.-début du XVIIIᵉ s. : Portugais, Anglais, Danois et Français ont des comptoirs fortifiés à Ouidah ; le littoral du Dan-Homé est une base importante du commerce triangulaire Europe-Afrique-Caraïbes ; développement rapide de la traite des Noirs.

1818-1858 : Ghézo, roi d'Abomey, accroît considérablement la puissance de son royaume ; le commerce des esclaves ayant été déclaré illicite, il passe outre un moment à l'interdiction, puis oriente petit à petit les exportations vers les produits palmistes.

1890-1893 : conquête française et fondation des « Établissements du Bénin ».

1899 : naissance de la colonie du Dahomey, incluant divers royaumes et ethnies.

Août 1914 : les troupes françaises stationnées au Dahomey occupent, avec les troupes britanniques de la Côte-de-l'Or, la colonie allemande du Togo.

1ᵉʳ août 1960 : proclamation de l'indépendance du Dahomey.

1975 : le pays prend le nom de république populaire du Bénin.

▲
Les danseurs yoroubas sont tous de sexe masculin, mais, pour certaines cérémonies rituelles, il leur arrive de se déguiser en femme, et même en mère de famille.
Phot. Hoa-Qui

communautés noires de l'Amérique du Sud et des Antilles.

Le dogme de base est la croyance en un être suprême, une force vitale qui peut conférer à certaines choses, au-delà des apparences physiques, une puissance particulière. Entre l'être suprême et les hommes se situent un grand nombre de divinités intermédiaires. Appelées *vodouns* — d'où le nom de « vaudou » —, ces divinités sont honorées en tous lieux par des *legbas*, monticules de terre plus ou moins volumineux, souvent reconnaissables aux taches de sang des animaux sacrifiés.

Les *vodouns* font l'objet d'un culte qui, en bien des cas, se manifeste par des rites incantatoires, conduisant à l'extase et provoquant une libération spirituelle. Chacun d'eux a ses couvents initiatiques, ses temples, son clergé. Ainsi, à Ouidah, le culte du « Bon Serpent » est célébré depuis des siècles dans un temple dont les prêtres nourrissent des pythons, tandis que, dans la palmeraie de Porto-Novo, le temple du *vodoun* Tchango est consacré au tonnerre.

Les ancêtres bénéficient également d'une grande vénération. Devant la porte de leur case, ou même à l'intérieur de celle-ci, les indigènes plantent des autels portatifs, les *assens*, sorte de poteaux sculptés, surmontés d'une figure symbolique évoquant un défunt et d'un plateau permettant de lui présenter des offrandes.

Au XVIIᵉ siècle, Cotonou avait aussi son comptoir d'esclaves, mais il était moins important que ceux d'Ouidah et de Porto-Novo. C'est

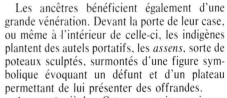

◄
Les murs du palais d'Abomey, où résidait le roi Ghézo, souverain de l'ancien royaume du Dan-Homé, sont ornés de sculptures polychromes à la verve naïve.
Phot. S. Spini

pourtant là que, en 1830, alors que le commerce du « bois d'ébène » avait été déclaré illicite, le roi d'Abomey, Ghézo, faisait embarquer ses cargaisons clandestines. Une rade avait été aménagée à cet effet ; on l'appelait l'« embouchure des eaux de la mort ». Signalons pourtant, à la décharge de Ghézo, que, s'il poursuivit la traite négrière alors qu'elle était interdite, il s'efforça en même temps de développer d'autres négoces, qui s'avérèrent moins lucratifs.

Aujourd'hui, Cotonou est une ville moderne, abritant le palais présidentiel et partageant avec la capitale les sièges des ambassades, des ministères et des services publics. C'est surtout la cité portuaire du Bénin. Une grande animation règne en permanence autour du bassin du Commerce et dans les installations annexes, et, le soir, sur le quai du port de pêche.
Mais c'est avant tout l'extraordinaire marché Dan Tokpa qui draine les foules, indigènes et

visiteurs. Il a lieu tous les quatre jours, selon le rythme du calendrier *fon*, dont les semaines ont quatre jours, consacrés chacun à un *vodoun*. Les Fons, particulièrement nombreux dans le sud du Bénin, constituent l'ethnie la plus importante du pays.
C'est à partir de Cotonou que l'on atteint le plus aisément les villages lacustres du lac Nokoué. Le plus connu est probablement Ganvié, curieux amalgame de cases rectangulaires,

▲
Né au Bénin, le culte des vodouns — esprits intermédiaires entre les dieux et les hommes — fut transporté par les esclaves en Amérique, où il a donné naissance au vaudou antillais.
Phot. B. Desjeux

bâties en feuilles de palme et en bambou sur des pilotis de teck, un bois imputrescible. Une échelle conduit d'abord à une plate-forme servant de remise ; la pièce destinée à l'habitat est généralement située à un deuxième niveau.

La technique des villages lacustres fut inspirée par le souci d'échapper aux combats incessants qui opposaient les tribus sur la terre ferme. La cause a maintenant disparu, mais l'habitude de vivre sur l'eau est restée.

Du Dahomey au Bénin

C'est seulement en novembre 1975 que le pays que l'on appelait jusqu'alors Dahomey, indépendant depuis le 1er août 1960, a pris le nom de Bénin.

Ce nom est celui d'un ancien royaume de la côte de Guinée qui eut pour origine Ife (Nigeria), cité sacrée des Yoroubas, et fut longtemps l'un des grands centres de civilisation de l'Afrique. Celui de Dahomey viendrait de Dan-Homé, autre royaume à la longue histoire, puisqu'il était déjà mentionné, en 1570, sur une carte de Mercator. Fondé par les Yoroubas, il eut pour capitale Abomey, cité dont on peut imaginer les splendeurs passées en visitant les anciens palais royaux et le musée installé dans certaines de leurs salles. L'enceinte des palais vit se dérouler, au cours des siècles, des fêtes et des cérémonies fastueuses, qui duraient plusieurs semaines. Une maison à étage permettait au roi Ghézo, entouré de ses épouses, d'assister commodément aux réjouissances. Les autres bâtiments, qui n'ont qu'un seul niveau, s'ordonnent autour d'une succession de vastes cours ; leurs façades crépies sont ornées de motifs polychromes qui retracent l'histoire du Dan-Homé. À l'intérieur sont exposés de

◄

Les pêcheurs de Ganvié juchent leurs maisons sur de hauts pilotis et mènent une existence semi-aquatique.
Phot. M.-L. Maylin

▲
*Certaines des cités lacustres du lac Nokoué sont à sec
pendant une partie de l'année, mais Ganvié reste
entourée d'eau en permanence, et la décrue se signale
seulement par les verdoyantes arabesques qu'elle fait
éclore sur le marais.*
Phot. Renaudeau-Top

nombreuses pièces des mobiliers royaux, des tabourets en bois de fromager, des boîtes de rangement sculptées dans l'iroko, des cannes de commandement appelées *recades*, des *assens*, des bijoux, des sabres et autres armes, y compris un canon fourni par un habile commerçant allemand établi au Togo.

À proximité du palais, des artisans fabriquent, à la cire perdue, de remarquables statuettes en bronze, évoquant avec verve les fastes du royaume d'Abomey ou des scènes amusantes de la vie quotidienne. Autre spécialité : les tentures brodées de motifs traditionnels, semblables à celles qui ornaient jadis les maisons royales.

Si Ghézo parvint à maintenir de bonnes relations avec les puissances européennes, ses successeurs ne purent empêcher, dans les der-

nières années du XIXᵉ siècle, la conquête du Dan-Homé par la France. En 1899, la colonie, englobant d'autres royaumes et recouvrant une grande diversité ethnique, prit le nom de Dahomey.

Dans le centre du pays, la ville de Parakou, terminus de la ligne de chemin de fer, est surtout un point de transit pour les marchandises qui arrivent du Niger par la route et poursuivent leur chemin vers Cotonou par le rail. On y croise fréquemment de fiers cavaliers de l'ethnie Bariba, largement représentée dans la région.

Au nord-ouest de Parakou, Natitingou est le cœur du pays des Sombas, une ethnie qui, refoulée par les migrations soudanaises, eut quelque peine à s'implanter ici contre la volonté des Baribas. Les Sombas construisent des fermes-châteaux semblables à celles que leurs parents Tambermas bâtissent au Togo. Sombas et Tambermas sont restés très étrangers à l'évolution de leurs pays respectifs. Particularistes à l'extrême, ils ont gardé quasi intacts leurs coutumes et leurs modes de vie ; seule concession au modernisme : une tenue un peu moins sommaire que naguère, lorsqu'ils se contentaient d'un petit pagne ou d'un étui pénien.

À l'extrémité nord du Bénin s'étend une région de réserves et de parcs nationaux. Celui de la Pendjari, sillonné par 160 km de pistes de vision, jouxte le parc national d'Arly, en Haute-Volta ; à l'est, le parc national du W, domaine de la savane, entrecoupée de forêts-galeries le long des rivières, déborde sur les territoires du Niger et de la Haute-Volta. La faune, abondante et variée, y fait la joie des amateurs de safari-photo ■   Maurice PIRAUX

▲
Les prêtres et les prêtresses du vodoun Hebioso, *esprit de la foudre et des eaux, portent une courte jupe à crinoline, appelée* vlaya.
Phot. Dumas-Fotogram

◄
*Planté devant la case familiale, l'*assens *est un autel dont le plateau permet de présenter des offrandes à un ancêtre défunt.*
Phot. S. Spini

▲
Formées de plusieurs constructions circulaires reliées par des murs, les fermes fortifiées des Sombas abritent le bétail au niveau du sol, tandis que la vie familiale se concentre sur les terrasses, au sommet des tours.
Phot. Hoa-Qui

▶
Dans les collines pierreuses des Tanékas, près de la frontière du Togo, les villages se nichent au creux des rares vallons fertiles.
Phot. Cordier-Pitch

le Bénin

le Nigeria

Un Africain sur sept est nigérian. Dans un pays qui occupe moins d'un trentième de la surface du continent, ils sont plus de 70 millions à vivre entre les côtes du golfe de Guinée et le lac Tchad, entre les montagnes du Cameroun et les plateaux du Bénin. Mosaïque d'ethnies à l'intérieur de frontières nées des hasards de la colonisation européenne, le Nigeria est un géant économique assis sur le cours terminal du Niger. Les peuples, installés ou déplacés sous la pression constante des migrations de l'Afrique sahélienne, se sont forgé une personnalité en accord avec le cadre naturel dans lequel ils se sont établis : pêcheurs des berges des fleuves et des marais côtiers ; agriculteurs des plateaux centraux, défendus par de hautes falaises ; chasseurs et cultivateurs sur brûlis des forêts équatoriales ; éleveurs de moutons et de bœufs à longues cornes des hautes plaines du Nord.

Le pays est formé de deux régions distinctes : des basses terres au sud, irriguées par le bas Niger et son affluent la Bénoué, et des hautes terres au nord, à plus de 500 ou 600 m d'altitude, sillonnées par un réseau de rivières nonchalantes, orientées vers la cuvette du lac Tchad, mare immense qui s'étale et se resserre au gré des eaux qui s'y déversent. Le climat, tropical au nord et équatorial au sud, a donné naissance à une végétation qui va de la savane herbeuse et de la forêt-parc, dans la zone soudanaise, à la forêt dense et humide, riche en palmiers à huile et en cacaoyers, quand on approche de la côte où il tombe plus de 2 m de pluies par an. L'hiver, le harmattan, un vent continental, chargé de poussière, qui souffle du nord-est ou de l'est, dessèche les plaines et les collines du Nord et abaisse les températures. Le soleil reste généreux en toutes saisons.

▲
Petites citadelles de boue séchée, les villages haoussas de l'État de Kano sont entourés d'une ceinture de remparts.
Phot. F. Boizot

Civilisations du bronze dans la forêt

En 1897, un corps expéditionnaire britannique pénétrait dans Bénin, la capitale du peuple édo, édifiée en pleine forêt équatoriale. Les splendides sculptures trouvées dans la ville dévastée furent dispersées après la conquête, mais les lourdes plaques de bronze qui ornaient les murs du palais du roi — l'*oba* — furent soigneusement démontées et expédiées en Europe et en Amérique, qui découvrirent ainsi qu'une civilisation authentique avait fleuri pendant plusieurs siècles dans le delta du Niger. Pourtant, on connaissait ces peuples depuis 1486, date à laquelle le navigateur portugais Jean Alphonse d'Alveiro avait remonté l'un des fleuves côtiers

1

et fait provision d'un poivre très fort, la malaguette (ou maniguette), qui, parvenu en Flandre, avait assuré sa fortune.

Bénin avait été visitée en 1553 par les Anglais, qui y avaient rencontré un roi parlant couramment le portugais. En 1602, un voyageur flamand y trouvait « des maisons en bon ordre, parfois les unes contre les autres, comme en Hollande ». Et il ajoutait que « le palais royal est très vaste, avec de nombreuses cours carrées, entourées de galeries constamment surveillées. Je suis entré si avant que j'ai dû traverser quatre de ces cours, et partout où se portait mon regard, je découvrais d'autres portes menant plus loin ». Le roi, monarque au pouvoir absolu, était l'unique représentant terrestre de tous les dieux du Bénin. Il pouvait mobiliser 100 000 combattants en vingt-quatre heures. Le royaume, qui avait bâti sa puissance sur le commerce du fer et des cotonnades avant de se consacrer à la traite des esclaves, n'était pas le seul de la région : d'autres chefferies existaient dans les profondeurs de la forêt et sur les rives des innombrables fleuves côtiers qui se frayaient un chemin à travers les palétuviers.

Par la suite, on découvrit à Ife des statues en bronze plus anciennes de trois siècles que celles de Bénin. Certaines têtes portaient des coiffures évoquant celles des rois de Méroé, en Nubie. Elles étaient l'œuvre du peuple yorouba, suze-

rain des Édos, immigré sans doute de la région du haut Nil à l'âge du bronze, et qui avait peu à peu imposé sa loi et sa culture aux divers groupes qui l'avaient précédé. Selon la légende, les Yoroubas descendraient d'un roi de La Mecque, Nemrod, dont le fils, Oduduwa, avait été obligé de fuir jusqu'à Ife, dont il devint le premier roi. Il était blanc. Son premier fils, Ogun, était noir. Le fils et le père partagèrent sans le savoir la même maîtresse, qui mit au monde un fils unique. Celui-ci, Oronmiyo, troisième roi d'Ife, était moitié noir, moitié blanc, dans le sens de la hauteur. De nos jours, lors de la fête de l'Oyo, célébrée en l'honneur d'Ogun en qui on voit le dieu du fer, les messagers de la cour se peignent la moitié du corps en blanc.

Les Yoroubas sont aussi à l'origine du royaume d'Oyo. La ville, située à la lisière nord de la forêt, occupait une position idéale pour contrôler les échanges commerciaux entre la côte et les savanes. À l'image des émirats haoussas, Oyo s'équipa d'une cavalerie puissante : les chevaux, que l'on ne pouvait élever dans la région à cause de la mouche tsé-tsé, étaient fournis par les sultanats de Kano et de Sokoto en échange de toiles fines, de poteries ou d'outils en fer. Puissance montante au XVIIᵉ siècle, Oyo domina le Dahomey après plusieurs campagnes vigoureuses. Sous le règne d'Alafin Abiodun (1770-1789), elle se lança dans la traite des esclaves. Mais bientôt, incapable de maîtriser le négoce dans les zones frontières où ses cavaliers étaient impuissants, contestée par les Fons du Dahomey qui, par le trafic des armes, avaient pris le pouvoir sur la côte, soumise à la pression des puissances du Nord, Oyo fut réduite à n'être plus qu'un État fantôme. L'interdiction totale de la traite, en 1824, lui porta un coup fatal.

Aujourd'hui, il ne reste que quelques rares vestiges de la splendeur passée des États yoroubas, mais les musées d'Ife, de Bénin et de Lagos abritent de magnifiques collections de visages de bronze ou d'ivoire, dont les traits pleins et énergiques se retrouvent encore chez les habitants de la côte.

Au nord, l'islam des pasteurs et des caravaniers

Le nord du Nigeria est très fortement islamisé. La vaste mosquée de Kano, avec sa coupole verte et son style indien, rappelle que cette région, qui est, depuis toujours, la porte du désert, subit très tôt l'influence arabe. Des prédicateurs et des voyageurs musulmans y

Histoire
Quelques repères

Vᵉ s. av. J.-C. - Iᵉʳ s. apr. J.-C. : civilisation de Nok.
VIIIᵉ s. : le roi du Kanem se convertit à l'islam.
XIᵉ s. : premiers royaumes haoussas.
1100 : apogée d'Ife.
V. 1400 : fondation de Bénin ; naissance du royaume de Noupé.
1472 : deux Portugais, Fernando Poo et Pero de Centra, visitent les golfes de Bénin et de Bonny.
1553 : des Britanniques évincent les Portugais et visitent Bénin.
1600-1750 : apogée du Kanem-Bornou.
1650-1750 : apogée de l'Oyo.
1724-1748 : l'Oyo domine le Dahomey après plusieurs campagnes.
1802-1815 : le jihad (guerre sainte musulmane) déferle sur le Nord.
1805 : l'explorateur écossais Mungo Park meurt dans les rapides de Bussa, sur le Niger qu'il était le premier à descendre.
1851 : premier consulat britannique à Calabar.
1886 : la Compagnie royale du Niger se voit confier la gestion des territoires qu'elle détenait depuis trente ans entre Lagos et le Cameroun.
1890 : création du protectorat du Nord.
1897 : un corps expéditionnaire britannique occupe Bénin et pille ses trésors artistiques.
1914 : les protectorats du Nord et du Sud sont unifiés ; naissance du Nigeria.
1953-1956 : premières découvertes pétrolières.
1960 : le Nigeria devient indépendant dans le cadre du Commonwealth.
1961 : par plébiscite, le Cameroun du Nord décide de demeurer nigérian.
1963 : proclamation de la république.
1966 : l'armée prend le pouvoir.
1967-1970 : guerre du Biafra, à la suite du décret divisant le pays en 12 États.
1975 : le général Gowon, président de la République, est évincé et remplacé par le général Murtala Mohammed.
1976 : le général Murtala est assassiné et remplacé par le général Obasanjo ; le pays est divisé en 19 États.

▲
C'est dans la forêt sacrée d'Oshogbo que les Yoroubas célèbrent le culte d'Oshun, déesse de la rivière du même nom.
Phot. A. Hutchison Lby

▲
Foyer d'une intense création artistique, l'ancien royaume du Bénin a produit des sculptures de bronze et d'ivoire qui sont parmi les plus belles de l'Afrique noire. (Tête de guerrier, XVIᵉ s.)
Phot. C. Lénars

▶
Trois cents ans avant l'apogée de l'art du Bénin, les Yoroubas d'Ife fondaient, à la cire perdue, des figures dont le réalisme contraste étrangement avec l'habituelle stylisation de l'art nègre. (Tête du roi Oni, XIIIᵉ s.)
Phot. C. Lénars

le Nigeria

3

circulaient dès le Xᵉ siècle. La légende raconte que le premier roi de Kano, Bogoda, bâtit son palais en 999, fondant, par la même occasion, le premier royaume haoussa. Kano reste la plus romantique des villes nigérianes. Elle est toujours entourée d'une enceinte de 17 km, percée de 16 portes. À l'ombre de la plus importante de ces portes, Koffar Motta, on teint encore les étoffes dans des cuves séculaires creusées dans le sol.

Les façades des vieilles maisons de la ville et du palais de l'émir sont décorées de motifs géométriques en relief que l'on retrouve tout autour du Sahara. Kano était un relais pour les caravanes qui apportaient le sel, le cuivre, les armes et les cotonnades du Fezzan, du Dârfour et de la Nubie et remportaient l'or du Ghana, l'ivoire de la côte, les noix de kola et le cuir travaillé. Il fallait, à l'époque, dix mois pour aller de Tripoli à Kano. Aujourd'hui, les poids lourds algériens ne mettent qu'une dizaine de jours pour apporter des rives méditerranéennes la quincaillerie, le ciment et les machines que l'on transfère, à l'ombre des murailles, sur les camions nigérians. Bien souvent, le camionneur vend sur place son véhicule, denrée rare, et rentre chez lui par avion. Au marché municipal, les changeurs, assis en tailleur, traitent toutes les monnaies connues, du franc suisse au louis d'or, du cauri au thaler de Marie-Thérèse : leur crédit dépasse les frontières, s'étend au Niger et au Tchad, où ils financent les récoltes et les achats de bétail. Le découpage effectué par les puissances européennes à la conférence de Berlin n'a pas interrompu les échanges économiques de ces peuples transhumants, qui se trouvèrent plus d'une fois sous la même bannière : empire du Kanem, États haoussas ou royaume songhaï.

Fermiers, éleveurs et marchands, tous avaient accepté, pour des raisons de sécurité,

▲
L'influence européenne se fait sentir dans l'habillement
et le maquillage des femmes des grandes villes.
Phot. Mannin-Rapho

▲
Kano : si, comme la tradition l'affirme, ce vénérable
épineux est âgé de mille ans, il est contemporain de la
fondation de la ville, la plus importante des anciennes
cités haoussas.
Phot. Highet-A. Hutchison Lby

la règle rigide de sultans imprégnés d'islam. On compta jusqu'à sept États haoussas, parfois vassaux des royaumes voisins. Chaque émir s'entourait d'une puissante armée dont le fer de lance était la cavalerie : un corps de soldats revêtus de cottes de mailles et de cimiers étincelants, équipés d'armes du meilleur acier et, à partir du XVe siècle, de mousquets venus d'Égypte. Un voyageur arabe raconte que le sultan de Katsina « disposait de 7 000 archers et

de 500 cavaliers, et tirait de très larges revenus du commerce avec le Nord ».

L'histoire a retenu une suite interminable de raids et de coups de main entre les monarques locaux, les razzias permettant de se saisir des récoltes de l'adversaire et de se fournir en esclaves. Tour à tour, Kano, Zaria, Katsina et Gobir prirent momentanément le dessus. Parfois, on faisait front commun contre l'envahisseur : les Songhaïs du haut Niger en 1575, le

Bornou à la fin du XVIIIe siècle. La société haoussa se structura sur le mode féodal. Le pouvoir était partagé entre une monarchie constitutionnelle, une noblesse de sang royal et une classe de roturiers promus par leur bravoure ou leur sagesse. Ce sont les maisons de ces nobles et les palais de ces émirs que l'on voit aujourd'hui dans les villes du Nord. Entourés de bâtisses modernes, de garages et d'entrepôts, ils sont les vestiges d'une grandeur perdue.

Dans les villages, on emploie encore des ustensiles rudimentaires et on continue à construire avec de la boue séchée des cases sans fenêtres et des greniers à mil ventrus.
Phot. Hoa-Qui

le Nigeria

Fête à Kano, métropole du Nord

Aujourd'hui, la prospérité du Nord repose sur le coton et l'arachide. Avec le premier, les tisserands des villes fabriquent depuis des siècles des bandes d'étoffes sur leurs métiers étroits. Quant à l'arachide, ensachée, elle domine Kano de ses hautes pyramides. On en extrait, dans de grands moulins modernes, l'huile vendue sur tous les marchés : c'est un des produits de base de l'alimentation familiale.

C'est également au marché que l'on achète l'igname et le sorgho, le mil et les épices, les poissons séchés du lac Tchad et les moutons de la savane. On y trouve aussi les vêtements, les perles, les parures et les harnais qui permettent de célébrer dignement, plusieurs fois l'an, les fêtes du calendrier musulman.

Ces jours-là, le long des routes poussiéreuses, des milliers de fermiers haoussas, de bergers kanouris et d'éleveurs fulanis se dirigent d'un pas vif vers la capitale provinciale. Tous ont revêtu leurs plus beaux atours, *rigas*

▲
État de Kano : la fin des moissons fait surgir d'éphémères et pittoresques colonnades de paille.
Phot. Barbey-Magnum

Au début du XIXᵉ siècle, un marabout à la foi ardente, Osman dan Fodio, leva une armée et déclara la guerre sainte, le *jihad*. Il conquit le territoire des Noupés et descendit le long du Niger. Il mourut en 1815, mais les Yoroubas du Sud sentirent encore longtemps, sur les marches de leurs États, la pression de ces cavaliers venus du Nord. L'arrivée massive des Anglais régla définitivement les problèmes de rivalité en imposant le protectorat.

immaculés flottant sur des pantalons blancs, calottes multicolores aux motifs géométriques et sandales ouvragées. Parfois, un cavalier à fière allure, abrité sous un parasol, précède le groupe chamarré de ses femmes et enfants.

La plus belle cérémonie est le *sallah.* Le long mois de jeûne du ramadan s'est terminé la veille, et tous viennent entendre leur émir leur annoncer solennellement que la lune est à nouveau visible. Devant son palais, ils sont des milliers à guetter son arrivée. Majestueux, il descend de son énorme voiture et gagne, entouré de sa cour, un trône de kermesse rehaussé d'ors et de soieries. La foule se presse et tente de toucher ses vêtements du bout des doigts, tandis que défile le cortège des danseurs, des batteurs de tam-tam, des trompettistes juchés sur des chameaux, des acrobates, des charmeurs de serpents...

La poussière retombe, le silence se fait, et c'est le *durbar :* une dizaine de cavaliers en cotte capitonnée, montés sur des chevaux caparaçonnés, arrivent au grand galop, l'épée brandie, et foncent en hurlant sur l'émir. À quelques mètres du dais, ils immobilisent leur monture dans un nuage de poussière rouge. Ces charges féroces se succèdent pour rappeler les temps glorieux où elles étaient destinées à impressionner l'ennemi venu traiter. Enfin, l'émir parle. Il invite ses fidèles à davantage de piété et plus

d'ardeur au travail, puis laisse place à la fête. Celle-ci se prolonge jusqu'à une heure avancée de la nuit, rythmée par les tam-tams battus de fines baguettes. On mange à satiété, on danse jusqu'à l'épuisement.

Le lendemain, tout le monde se retrouve aux champs à la première heure, dans l'attente des deux autres grandes cérémonies, l'*id el kabir* (fête du mouton) et le *mauladun nabiyyi* (anniversaire de la naissance du Prophète).

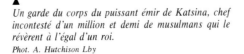

▲
La fête du sallah, *qui marque la fin du ramadan, est célébrée avec un faste particulier à Katsina, où l'émir et sa suite paradent avec toute la pompe traditionnelle.*
Phot. A. Hutchison Lby

▲
Un garde du corps du puissant émir de Katsina, chef incontesté d'un million et demi de musulmans qui le révèrent à l'égal d'un roi.
Phot. A. Hutchison Lby

le Nigeria

Le peuple des fleuves

Si l'islam règle les grands événements de l'existence, l'animisme fait partie de la vie quotidienne. C'est sans doute un rappel des rites de fertilité attachés à l'eau qui explique la survivance du festival de la pêche d'Argungu. À l'extrême nord-ouest du pays, près de Sokoto, base de départ et sépulture d'Osman dan Fodio,

tous les hommes de la région, armés chacun d'un grand filet, se jettent dans la Rima, un affluent du Niger. Accompagnés par des musiciens qui les suivent en pirogue, ils traquent les poissons dans les endroits les moins profonds de la rivière. (Certains pêchent à main nue avec beaucoup d'adresse.) Après quoi se déroulent des courses de pirogues, des concours de plongée. Enfin, la nuit tombée, on boit et on danse jusqu'à l'aube.

▲

En tenue d'apparat, une délégation de notables franchit la voûte du palais de l'émir de Daura.
Phot. Barbey-Magnum

Le long des fleuves ont fleuri des civilisations dans lesquelles les cultes venus de l'est et du Sahel ont fusionné avec le panthéon des peuples de la forêt et de l'eau. Au XVIe siècle, l'émirat haoussa de Zaria fut même dirigé par une reine, Amina, pendant plus de trente ans : le fait, inconcevable dans un État musulman, ne peut s'expliquer que par la présence de sujets partagés entre plusieurs croyances. L'État le plus original fut celui des Noupés, établi au

▶

Casqués, armés de lances, les gardes montés de l'émir de Katsina ont fière allure.
Phot. A. Hutchison Lby

le Nigeria

9

confluent du Niger et de la rivière Kaduna. Sur des terres basses aux vallonnements doux, ceux-ci ont développé une agriculture variée, qui tire le meilleur parti du débit capricieux des deux cours d'eau. Musulmans depuis la colonisation haoussa, ils ont conservé les multiples croyances locales : il suffit, pour s'en convaincre, de regarder les portes sculptées de leurs maisons, sur lesquelles s'enchevêtrent oiseaux, serpents, lézards, chameaux et personnages

mythologiques. Les Noupés possèdent des statues de bronze, coulées il y a plusieurs siècles avec une maîtrise exceptionnelle et dans un style présentant des similitudes troublantes avec l'art indien, mais ils ne les sortent qu'à l'occasion des fêtes. Ils sont intégrés par classes d'âge à des confréries dont les capitaines sont écoutés et honorés.

Leur puissance date du début du XVᵉ siècle : fondée sur le commerce et la traite, qui emprun-

taient le bassin du Niger et les pistes caravanières, elle fut défendue par une cavalerie armée de lances et d'épées fabriquées dans des forges dont la réputation s'étendait à toute l'Afrique occidentale. Vassal épisodique des émirats du Nord et du royaume d'Oyo, balayé par le *jihad* d'Osman, le peuple noupé a pourtant conservé son identité. L'artisanat est encore organisé sur un modèle corporatif, très proche des guildes d'artisans du Moyen Âge

▲

Le festival de pêche d'Argungu donne à tous les hommes de la région de Sokoto l'occasion de faire la preuve de leur habileté dans un affluent peu profond du Niger.

Phot. A. Hutchison Lby

chefs à l'occasion des grandes fêtes nationales et islamiques. Pour célébrer la nouvelle année musulmane, ils retrouvent la très ancienne pratique de l'immersion : à la lumière des torches, jeunes gens et jeunes filles s'avancent dans le fleuve et s'y livrent à des joutes animées, qui s'achèvent dans l'obscurité propice des roseaux.

À l'écart des routes, la terre des origines

L'est du pays est traversé par la Bénoué, puissant affluent du Niger, souvent encaissé, qui prend sa source dans le château d'eau de la région, les monts de l'Adamaoua, au Cameroun. Sur les routes rocailleuses, on croise des camionnettes chargées de paysans se rendant au marché ou au bourg. Dans les collines boisées qui s'étendent à perte de vue vivent des peuples qui se tiennent à l'écart du «progrès».

On rencontre parfois, sur les places des chefs-lieux, des villageois qui vont presque nus, ce qui leur vaut de se faire dresser procès-verbal par la police locale.

On pense que les Bantous, dont les migrations peuplèrent en mille ans l'Afrique centrale, sont originaires de ces forêts clairsemées. Les langues qui y sont parlées, les cultes qui y sont célébrés en témoignent. Le long des rivières poissonneuses, où vit encore le lamantin, sont installés les Tivs, agriculteurs et pêcheurs : jamais envahis par les royaumes du Nord, farouchement rebelles à l'islam, ils ont conservé leurs traditions séculaires, en particulier celle du mariage par échange de sœurs, destiné à renforcer la cohésion du groupe. Leurs maisons, entourées de cactus, sont bâties au sommet des collines, à l'écart des routes. Ceux qui vivent sur le plateau de Jos, au paysage morne et caillouteux, sont mineurs dans les exploitations à ciel ouvert d'où l'on extrait l'étain, le plomb et le zinc. Ils n'ont pas gardé le souvenir des premiers occupants du lieu, qui, il y a plus

européen. Ici, on travaille le fer et l'argent, on coule le bronze à partir de cuivre de récupération et d'étain extrait du plateau de Jos, on tisse le coton, on polit des perles de verre. Les seules activités — autres que domestiques — des femmes sont la teinture et la poterie.

Entrés très tôt en contact avec la Compagnie royale du Niger, les Noupés sont aujourd'hui fortement occidentalisés, mais leur culture séculaire se manifeste devant les demeures de leurs

▶

Près de la Côte des Esclaves, au bord du golfe de Bénin, la forêt équatoriale, qui couvre le sud-ouest du Nigeria, est sillonnée par d'innombrables cours d'eau.
Phot. Hoa-Qui

de deux mille ans, connaissaient le fer et façonnaient d'étranges statues de terre cuite à la bouche ouverte et aux yeux triangulaires perforés. On a donné à cette culture, la plus ancienne de l'Afrique noire, le nom du village où ont été exhumées les plus belles pièces : Nok. Aujourd'hui, au musée de Jos, devant ces statues dont certaines atteignent 1,50 m, on peut rêver à l'influence du royaume nilotique de Couch et à celle de la conquête du Maghreb par les Romains.

Dans cette région, les hommes ne sont pas les seuls à rechercher l'isolement : les animaux sauvages y sont nombreux, et on y a établi la seule réserve de faune du Nigeria. Dans la grande savane, qui meurt peu à peu à mesure qu'on s'avance vers le Tchad, on rencontre des phacochères, des singes, des gazelles, des buffles, parfois des éléphants et des lions.

Les Ibos
qui rêvaient du Biafra

Au début du siècle dernier, les Européens ignoraient que le Niger débouchait dans le golfe de Guinée. Ils commerçaient avec les ports de traite, situés à l'embouchure des fleuves côtiers, mais ne pénétraient pas dans l'intérieur. Les Ibos, l'un des plus grands groupes ethniques du Nigeria, n'étaient connus que parce qu'ils formaient le gros des contingents d'esclaves fournis par les marchands. Pourtant, ils avaient tiré un parti remarquable d'une nature résolument hostile. Isolés dans la forêt, à l'abri des invasions, ils avaient développé un habitat extrêmement dispersé. Aujourd'hui encore, on compte

◀
Dans certaines régions, les scarifications ornementales sont encore considérées comme un élément important de la parure féminine, et elles peuvent atteindre un haut niveau de raffinement.
Phot. Fievet-Explorer

Paysage de savane dans le Middle-Belt, vaste étendue
séparant les forêts du Sud des hautes plaines sahé-
liennes du Nord.
Phot. A. Hutchison Lby

des centaines de villages et peu de vraies villes ; depuis plusieurs siècles, on y pratique la démocratie directe et on nie le pouvoir héréditaire. La femme joue un rôle important, très typique de la *mammy* nigériane qui tient les ficelles du commerce quotidien. Ses avis sont écoutés.

Éloignés des colonisateurs, les Ibos le furent également des missions protestantes. C'est un prêtre catholique, le R. P. Shanahan, qui, au début du siècle, s'enfonça le premier en pays ibo, avec un succès spectaculaire. Dans la main des Ibos, le catholicisme est devenu une arme pour la défense de leur culture, comme on a pu le voir lors du sanglant conflit, connu sous le nom de « guerre du Biafra », qui, de 1967 à 1970, les opposa à la Fédération.

Le pays est sillonné de *mammy wagons*, antiques camions portant une charge bigarrée d'hommes, de femmes et de marchandises. De loin en loin, une épave rappelle que, sur ces routes rouges, la poussière et la boue compliquent souvent la conduite. Sur des collines sereines, on cultive le maïs et le palmier à huile.

Dans cette région rurale, les villes n'ont qu'un intérêt secondaire. Enugu, la cité du charbon, offre un contraste saisissant entre ses villas basses, entourées de jardins paisibles, et la foule grouillante qui s'attarde le soir dans les bars pour boire du vin de palme et écouter les guitaristes. Onitsha, tête de pont sur le Niger, est fière du marché tout neuf qui remplace celui qu'avait inauguré la reine Élisabeth et que la guerre avait détruit : c'est le royaume des *mammies*, commerçantes qui ont la haute main sur toutes les transactions.

Les Ibos ont adopté avec enthousiasme les idées et les techniques de l'Occident. Obligés, par la pression démographique, d'émigrer dans les grandes villes, ils fournissent traditionnellement un personnel d'encadrement de qualité.

Ceux qui restent au pays maintiennent — non sans mal — le culte des dieux anciens, matérialisé par une statuaire très stylisée et par les maisons *mbari*, à l'allure étrange et naïve. Ces maisons sont édifiées à la suite d'une calamité, afin de s'attirer la faveur des dieux, en particulier celle d'Ala, dieu du tonnerre. Les bâtisseurs, travaillant dans le plus grand secret, mettent de un à deux ans à monter les murs aux dessins géométriques et à peupler le sol de personnages représentés dans des attitudes quotidiennes. Une fois inaugurée, la construction n'est jamais réparée et se désagrège lentement. On rencontre parfois, au détour d'une route, les ruines d'un de ces pathétiques ex-voto.

Le pétrole dans les marais

Les peuples du delta et de la côte ont vécu deux miracles : le premier quand ils s'imposèrent auprès des Européens comme les intermédiaires obligatoires pour les opérations de traite — n'appelle-t-on pas leur littoral « Côte des Esclaves » ? —, le second quand, en 1956, on découvrit du pétrole sur leur territoire.

La nature est hostile : des forêts marécageuses de palétuviers rouges, sillonnées par un labyrinthe de canaux saumâtres ; des températures élevées ; 3 m de pluies par an. De quoi décourager les plus acharnés. Et pourtant, le pays était habité par des tribus de diverses origines, pêcheurs et marins, qui surent mettre à profit les exigences des négriers en organisant les ponctions sur les Ibos de l'intérieur. Si, d'aventure, un étranger s'avisait de tenter sa chance tout seul, il était immédiatement boycotté et ne pouvait compter sur aucune assistance à terre. Bientôt se développèrent plusieurs villes-États — Bonny, Warri, Calabar,

Brass —, gouvernées par une bourgeoisie s'habillant à l'européenne et parlant le *pidgin english* pour mener ses transactions. Bonny, à elle seule, voyait passer chaque année 20 000 esclaves, qui étaient expédiés, avec des pertes considérables, vers les colonies britanniques d'Amérique.

L'arrêt de la traite mit ces villes en sommeil. Le réveil vint d'un coup : l'or noir coulait à flots des derricks que l'on plantait dans les marais. Aujourd'hui, les ports ont retrouvé une activité inespérée. Garagistes, commerçants, mécaniciens, manœuvres aux casques multicolores prospèrent dans une ambiance de Far West. On circule aussi bien en véhicule tout-terrain sur les pistes défoncées qu'en canot automobile sur les innombrables lagunes. La belle ordonnance de Port Harcourt, la nouvelle métropole de la côte, fait contrepoint au fouillis des innombrables villages touchés par la fièvre. Tout près de là, la mer puissante et grise déferle sur des plages immenses, désertes et magnifiques.

Il n'y a guère qu'à Calabar que règne encore une nonchalance héritée du passé. Les descendants des anciens guerriers y chantent tard dans la nuit leur nostalgie des combats d'antan, et, pour acquérir les formes plantureuses qu'exige la respectabilité, les filles à marier suivent toujours des cures d'engraissement dans des établissements spécialisés.

Plus loin, dans les forêts impénétrables, dorment, ignorés, des monolithes sculptés de figures stylisées. Beaucoup sont l'œuvre des Ékois, qui habitaient les berges de la rivière Cross et travaillent aujourd'hui comme dockers sur les quais des ports pétroliers.

La terre des Yoroubas
aujourd'hui

La capitale fédérale surprend par son activité fébrile : Lagos ne dort jamais. La ville est bâtie sur trois îles d'une lagune abritée et déborde, par plusieurs ponts, sur la terre ferme, où elle dispute l'espace à une forêt envahissante. Le port, comme toutes les escales des tropiques, est un enchevêtrement des monceaux de marchandises importées pour équiper le pays, de maisons de commerce et de boîtes de nuit cosmopolites. Plus loin, la gare dresse sa façade majestueuse ; de là un autobus surchargé (ou un taxi) vous conduit, à travers d'indescriptibles embouteillages, dans les îles, où se trouvent les services administratifs, les magasins et les principaux marchés. Le franchissement des ponts retarde les fonctionnaires pressés, qui, stoïques dans la moiteur étouffante, prennent leur mal en patience en feuilletant les quotidiens de langue anglaise.

Buildings modernes, villas et clubs sportifs alternent avec les constructions hétéroclites des revendeurs de voitures, des quincailliers et des bouquinistes. L'île de Lagos est le centre. À deux pas des immeubles imposants du front de mer est installé le marché Jankara : on y vend

◄

Les Kaleris du plateau de Bauchi, qui chassent toujours à l'arc, constituent l'une des minorités les plus primitives du Nigeria.
Phot. Fievet-Explorer

de tout, la vaisselle et le mobilier, les légumes et les fruits, mais aussi des colliers anciens de billes de verre «vénitiennes» et des tissus *adire*. Typiques des régions du Sud, ces étoffes se retrouvent, dans tout le pays yorouba, autour des reins des femmes ou nouées en foulard. Elles sont teintes à l'indigo selon la technique du batik, les réserves étant obtenues avec une pâte de farine de manioc très riche en amidon.

Pour les Nigérians, Lagos constitue l'ultime espoir de trouver une situation permettant d'accéder aux bienfaits de la société de consommation : l'automobile, la télévision, l'éducation des enfants... et la considération. Chaque matin, un million et demi d'habitants y recréent le mythe de l'eldorado, même si, chaque soir, la majorité d'entre eux doivent déchanter. Lagos est le terme du voyage pour tous ceux que la terre ou la province ne nourrit plus.

Lagos abrite le souvenir de la splendeur passée des Yoroubas (le mot signifie «langue des gens d'Oyo»), tant dans les nombreuses galeries d'art que dans le Musée national et le palais du roi, l'*oba*. Malgré l'évolution rapide des mœurs, le peuple est resté en rapport très

étroit avec la statuaire traditionnelle. Il sait toujours que, pour avoir l'efficacité désirée, les statues et les masques doivent être aussi beaux que possible, car il leur faut plaire aux dieux et aux ancêtres.

Les objets de culte sont moins destinés à être regardés qu'à être manipulés, ce qui réduit au minimum la distance entre l'homme et eux. C'est pourquoi les Nigérians se passionnent pour les productions des artistes actuels. Le mythe des jumeaux reste essentiel. Ses racines mythologiques se retrouvent dans le culte conjoint des deux frères Ogun et Schango. Le symbole d'Ogun, dieu du fer, est souvent une statue de chien, alors que celui de Schango, dieu de la foudre, est une hache double ou la tête de bélier qui orne les tombes des ancêtres. Plus prosaïquement, la mère de jumeaux décédés fait sculpter une paire de petites statuettes à la tête disproportionnée, afin de favoriser leur retour : si un seul des enfants est mort, une figurine unique garantit la survie de l'autre.

Si Lagos est une métropole ouverte sur le large, Ibadan est une des plus grandes concentrations humaines de l'Afrique occidentale. Après 140 km d'une autoroute tracée à travers

▲
D'abord limitée aux îles d'une lagune, Lagos, capitale du Nigeria, est devenue l'une des villes les plus peuplées et les plus animées de l'Afrique noire, et des immeubles modernes jaillissent du fouillis des vieilles maisons au toit rouillé.
Phot. A. Hutchison Lby

▲
Non loin de la trépidante Lagos, de paisibles paillotes de pêcheurs se blottissent au ras de l'eau, à l'ombre des cocotiers.
Phot. A. Hutchison Lby

des exploitations de cacao et de noix de cola, on découvre une marée de maisons basses à toit de tôle, couvrant collines et vallons sans laisser un pouce de sol libre. La ville — un ancien camp militaire — a vécu son heure de gloire au XIXᵉ siècle, en arrêtant les envahisseurs peuls venus du nord. Aujourd'hui, elle abrite des représentants de tous les peuples nigérians, et elle est devenue l'un des premiers centres d'activité du Nigeria avec ses commerces, ses scieries, ses conserveries, ses ateliers, mais aussi son université, la première du pays. Les cérémonies traditionnelles — mariages, fêtes,

Musiques

Au détour d'une ruelle, on découvre souvent un groupe de musiciens, entourés d'adultes complices et d'enfants espiègles. La musique tient une grande place : il suffit, pour s'en convaincre, de remarquer le succès des boutiques qui diffusent cassettes et disques des ensembles locaux.

Chacun des peuples du Nigeria a subi des influences religieuses différentes. Sur le fond traditionnel, dominé par les cultes de la terre,

fêtes de l'islam, dans le Sud et dans l'Ouest, on vénère toujours avec faste l'engrangement des récoltes et les apparitions rituelles des chefs locaux.

Noël a une importance particulière en pays ibo, alors qu'à Katsina, à Sokoto, à Zaria c'est à l'occasion de l'*id el kabir*, célébrant la substitution d'un bélier à Isaac, que se déroulent les grandes cérémonies, présidées par l'émir.

Les instruments de musique utilisés varient d'une région à l'autre, à l'exception des tambours, partout présents. Autrefois, ceux-ci rythmaient l'effort des pagayeurs et la charge des guerriers. Aujourd'hui, ils sont la base de tout groupe musical, qu'ils soient gigantesques et fixes, comme ceux que l'on peut voir dans la province d'Uyo, près de la rivière Cross, ou portatifs, comme ceux des Yoroubas. Une corde permettant de faire varier la tension de la peau et d'obtenir des notes couvrant une octave, ces tambours scandent aussi bien les mélopées rituelles que les musiques les plus modernes. Dans le Nord, ils sont accompagnés par les sons aigrelets et lancinants des flûtes, dont certaines sont en porcelaine, et des instruments à cordes. Chez les Ibos et les peuples de la côte, on utilise le balafon, xylophone aux sonorités claires, dont les lames de bois dur sont placées sur des calebasses de taille différente, formant caisse de résonance.

En pays yorouba, des orchestres de métier se chargent d'animer les innombrables festivals. Certains sont attachés à la cour d'un *oba* et se produisent pour son plaisir ou celui de ses invités. D'autres, enjoués et désinvoltes, exécutent le *juju*, musique populaire dont les foules sont friandes. La musique sacrée accompagne les mascarades et les fêtes données en l'honneur d'Ogun et Schango, les dieux jumeaux, auxquelles seuls les hommes ont le droit d'assister.

En pays ibo, l'habitat est trop dispersé, les activités quotidiennes sont trop absorbantes pour offrir une activité lucrative à des musiciens professionnels. Mais, une fois la nuit tombée, on s'assemble et, aux accents d'une musique bien rythmée, on chante les dieux anciens, ceux de l'eau et de la forêt, et — non sans ironie — les héros modernes, conducteurs de chantier et officiers de police.

La civilisation est venue, avec ses voitures, ses usines, ses gratte-ciel et ses télévisions.

enterrements — y sont célébrées avec un faste et un zèle que l'on ne rencontre plus dans la capitale, résolument tournée vers l'extérieur.

En chemin, on a traversé Abeokuta, « la cité sous le roc », fondée en 1830 par des réfugiés Egbas, un peuple de la côte soumis à la pression de ses puissants voisins. L'énorme rocher qui domine la ville est l'objet d'innombrables légendes sur l'origine mythologique des habitants, ce qui ne trouble nullement les vendeurs du marché local, un des plus beaux du Nigeria.

Plus loin, des villes chargées d'histoire n'ont conservé que bien peu de vestiges du passé : Ife et son université ; Ede, où le palais du roi abrite une collection d'instruments de musique yoroubas ; Bénin (Benin City) et les maisons de ses grands chefs edos. La meilleure époque pour visiter Bénin est la mi-décembre, quand le festival igwe bat son plein : les cérémonies qui célèbrent les dieux et l'*oba* sont émouvantes et belles. La ville est toujours entourée de ses douves séculaires et garde, vivace, le souvenir du grand roi Ewuare, qui fut, en 1472, le premier monarque du golfe de Guinée à recevoir des navigateurs européens.

de l'eau et du feu, se sont plaquées les liturgies sensibles et austères de l'islam ou celles, paisibles et rigoureuses, du protestantisme ou du catholicisme. Dans tous les cas, le maintien des rites coutumiers a été considéré comme une survivance du passé que la classe dirigeante musulmane dans le Nord et l'occupant occidental dans le Sud se devaient d'extirper. Le résultat est des plus complexes. Si, dans les villes du Nord, on se réjouit au rythme des

▲

Poètes et conteurs ambulants, les griots sont aussi musiciens et s'accompagnent eux-mêmes sur une longue guitare dont la caisse de résonance est faite d'une calebasse.
Phot. Fievet-Explorer

Dans les boîtes de nuit de Kano, d'Ibadan et de Lagos, les orchestres jouent une musique *afrobeat* ou *highlife* dont on retrouve les accents des Caraïbes à l'océan Indien. Mais, à certaines périodes de l'année, quand vient la pluie et que l'eau monte dans les fleuves, tout un peuple se retrouve pour fêter le retour de la vie à sa manière, au son du tambour de ses ancêtres.

Le Nigeria d'aujourd'hui est un pays en chantier. Du nord au sud, des berges du Niger aux marais du golfe, on fore, on extrait, on bâtit. On trace des routes, on tend des lignes électriques, on redessine des villes que la puissance coloniale n'avait pas su structurer. Le cadre de la capitale éclate sous le flot continu des paysans et des villageois, victimes des failles ouvertes par le «progrès» dans les sociétés traditionnelles. Lagos fascine avec ses lumières, ses automobiles, ses cinémas, son port et les espoirs d'argent facile qu'elle suscite. Mais la ville étouffe dans ses îles trop étroites, et les services publics ne sont assurés qu'au prix d'efforts considérables. Aussi envisage-t-on sérieusement de créer une nouvelle capitale fédérale dans le centre du pays, à l'exemple du Brésil. L'endroit choisi est situé au nord du confluent

du Niger et de la Bénoué. Il n'est cependant pas certain que cela suffira à soulager les déficiences chroniques dont souffrent les ports, les chemins de fer et la compagnie aérienne.

Dans ce vaste pays, le moyen de transport le plus sûr est encore l'automobile. Le réseau routier s'étend sans cesse; il charrie un flot continu d'autocars et de camionnettes. À l'instar des caravaniers des siècles passés, les camionneurs sont les porteurs de nouvelles. Ils font vivre les milliers de commerces établis aux carrefours; ils assurent la fusion entre les cultures des divers États; ils entrent en contact, à Kano, avec les routiers venus d'Algérie; ils apportent le ciment et les matériaux dont tous ont besoin pour construire maisons, ateliers et usines; ils emportent vers les ports le cacao, l'huile, le bois et les fruits des campagnes; ils pénètrent au plus profond des forêts pour ravitailler les chantiers pétroliers. Les sculpteurs l'ont bien compris: le conducteur de camion est l'un des thèmes habituels de la statuaire populaire.

Le Nigeria peut aujourd'hui présenter au visiteur les premières réalisations de ses ambitions: filatures, usines d'assemblage d'auto-

mobiles, fabriques de pneumatiques, cimenteries, brasseries. Mais, pour dépasser le niveau embryonnaire, pour se libérer de la dépendance étrangère, il reste beaucoup de chemin à faire. On projette d'établir une aciérie sur le bas Niger, on souhaite développer la capacité de raffinage, on jette les bases d'une pétrochimie. On montre avec fierté le barrage de Kainji, sur le haut Niger, qui alimentera un jour en électricité la moitié du pays. Cela suffira-t-il? La richesse pétrolière n'est pas inépuisable. Elle a servi à financer la remarquable prospérité de ceux qui ont su s'introduire dans les circuits publics et privés de distribution de la manne, mais beaucoup sont restés à l'écart.

Loin de la fièvre de la côte et des métropoles, dans la savane parsemée d'arbres gris de soleil, on retrouve la magie d'un pays qui a vu passer tant de peuples en quête d'or, d'ivoire, d'hommes ou, plus simplement, de terres à cultiver. Et le cavalier qui trottine le long de la route sur son cheval harnaché de cuir et de laine rêve encore aux galopades des guerriers d'Osman, de Noupé et d'Oyo, que ne remplaceront jamais les «westerns» frelatés d'un cinéma de province ■   Jean-Pierre DIEHL

◄

Comme tous les Nigérians, les Fulanis du Nord, qui appartiennent à la grande famille des Peuls, ont la danse dans le sang.
Phot. Mannin-Rapho

▲

À l'approche de l'Océan, l'imposant fleuve Niger, qui a donné son nom au pays, se fractionne en une multitude de bras, qui serpentent dans les marécages avant de rejoindre le golfe de Guinée.
Phot. Simpson-A. Hutchison Lby

▶

Pour célébrer le culte de la Fécondité, les Yoroubas sculptent d'énormes masques polychromes, représentant une tête surmontée d'un groupe de femmes au ventre rebondi et aux seins gonflés.
Phot. C. Lénars